INGENIERÍA DE MÉTODOS movimientos y tiempos

Luis Carlos Palacios Acero

Palacios Acero, Luis Carlos
Ingeniería de métodos, movimientos y tiempos / Luis Carlos Palacios Acero. -- Bogotá : Ecoe Ediciones, 2009.
300 p. ; 24 cm.
Incluye bibliografía.
ISBN 978-958-648-624-8
1. Ingeniería de métodos 2. Medición del trabajo 3. Tiempos y movimientos 4. Ingeniería industrial 5. Ingeniería de métodos - Problemas, ejercicios, etc. I. Tít.
658.542 cd 21 ed.
A1226227

CEP-Banco de la República-Biblioteca Luis Ángel Arango

Colección: Ingeniería y Arquitectura
Área: Ingeniería
Primera edición: Bogotá, D.C., agosto de 2009
ISBN 978-958-648-624-8

E-mail: luiscarlospalacios@hotmail.com

E-mail: correo@ecoeediciones.com
www.ecoeediciones.com
Carrera 19 No. 63C-32, Pbx. 2481449, fax. 3461741

Coordinación editorial: Adriana Gutiérrez M.
Autoedición: Guillermo Peñaloza Martínez
Carátula: Magda Rocío Barrero
Impresión: Editora Litotecnica
Calle 24A No. 25-54, Tel. 4811824

Impreso y hecho en Colombia

www.ecoeediciones.com

Sistema de Información en Línea

Descarga documentos.

Noticias y eventos

Material de apoyo

Novedades editoriales y actualizaciones

Bienvenido:

Estimado lector, en esta página se encuentra el **SERIAL DE REGISTRO** al **SISTEMA DE INFORMACIÓN EN LÍNEA (SIL)** de Ecoe Ediciones.

Al registrarse usted será informado de novedades relacionadas con los temas de su interés, promociones, noticias y complementos de los libros de nuestro fondo editorial.

Si ingresa al sistema usted podrá:

- Obtener información adicional, complementaria sobre los libros adquiridos de nuestro fondo.
- El derecho de consultar y descargar actualizaciones permanentes de los textos.

INSTRUCCIONES PARA REGISTRARSE EN EL SISTEMA DE INFORMACIÓN EN LÍNEA - SIL - de Ecoe Ediciones:

1. Conéctese a Internet.
2. Ingrese a www.ecoeediciones.com
3. Haga click en - SIL- (parte derecha de la pantalla).
4. Ingrese a **REGÍSTRESE EN EL SIL** (parte izquierda de la pantalla) y complete la información allí solicitada, haga click en registrarse al final de la ventana.
5. El sistema enviará un correo electrónico para que confirme su registro.
6. Una vez registrado, el usuario siempre será su e-mail y tenga en cuenta la clave de acceso para futuras consultas. Sólo puede registrarse una vez.

* Agradecemos diligenciar toda la información con el propósito de prestarle un mejor servicio.

SERIAL DE REGISTRO

5747a6c01d

ADVERTENCIA: El serial de registro contenido en esta página sólo puede ser utilizado una vez y no es transferible.

A mi esposa, María del Pilar Consuelo

A mis hijos,

Carlos Andrés
María Camila
Manuela
Por su apoyo

A mis alumnos y colegas

Por su valiosa contribución
y motivación en la realización
del proyecto.

CONTENIDO

CAPÍTULO III

CAPÍTULO IV

CAPÍTULO V

CAPÍTULO VI

CAPÍTULO VII

CAPÍTULO VIII

GRÁFICAS Y CUADROS

Introducción

¿Qué objetivos se persiguen con los estudios de métodos, movimientos y tiempos y por qué se tratan conjuntamente?

Por su especialidad, se espera del ingeniero industrial su eficiencia, eficacia y productividad en el mejoramiento de los rendimientos en los centros de trabajo. Pero, las causas que afectan los rendimientos en los resultados, son muy variadas; por consiguiente, descubrirlas, modificarlas, combinarlas o eliminarlas, con el fin de mejorar los resultados, representa la tarea permanente del ingeniero industrial puesto al servicio de una organización.

Tal dedicación debe ser conocida y entendida por los profesionales y aspirantes de esta rama de la ingeniería, para tener éxito en su ejercicio.

Dentro de las variantes que pueden afectar el rendimiento, encontramos:

- Procedimientos de ejecución.
- Equipo y herramientas utilizadas.
- Localización de los lugares con los que deben interrelacionarse.
- Puestos de trabajo.
- Preparación de las actividades.
- Abastecimientos oportunos.
- Tipo de dirección.
- Calidad de los ejecutantes.
- Movimientos.
- Ambiente.
- Retribuciones percibidas.

En la anterior lista aparece la causa "procedimientos de ejecución" entendiendo por tal, la forma como el ejecutante realiza la labor asignada. Esta consideración de la forma de trabajar para fijar una manera tal que asegure resultados mejores, es pues el objetivo del estudio de métodos de trabajo.

GRÁFICA 1. VARIABLES QUE AFECTAN EL RENDIMIENTO

Debido a que en medios como el nuestro es común encontrar formas ineficientes de trabajo, ya en la totalidad de un proceso, ya en partes del mismo, y esto en todo tipo de actividad (industrial, comercial, oficial, de servicios), no es ninguna sorpresa afirmar que gran parte de los problemas que enfrentan acá por los ingenieros industriales, tienen relación con esa gran fuente de ineficiencia que es, la forma de hacer la labor. Para mejorar se debe:

- Aprovechar experiencias de estudios anteriores de industriales y de investigadores.
- Provocar y ordenar la aplicación del sentido común de los participantes.
- Buscar causas de métodos ineficientes.
- Eliminarlas.
- Diseñar nuevos métodos.
- Sustituir y prevenir las dificultades inherentes a la implantación de los cambios.

Todo lo anterior viene a ser el contenido propio del ciclo "métodos de trabajo".

El estudio de métodos comprende las técnicas y teorías modernas para lograr cambios.

GRÁFICA 2. APLICACIONES DE LOS MÉTODOS

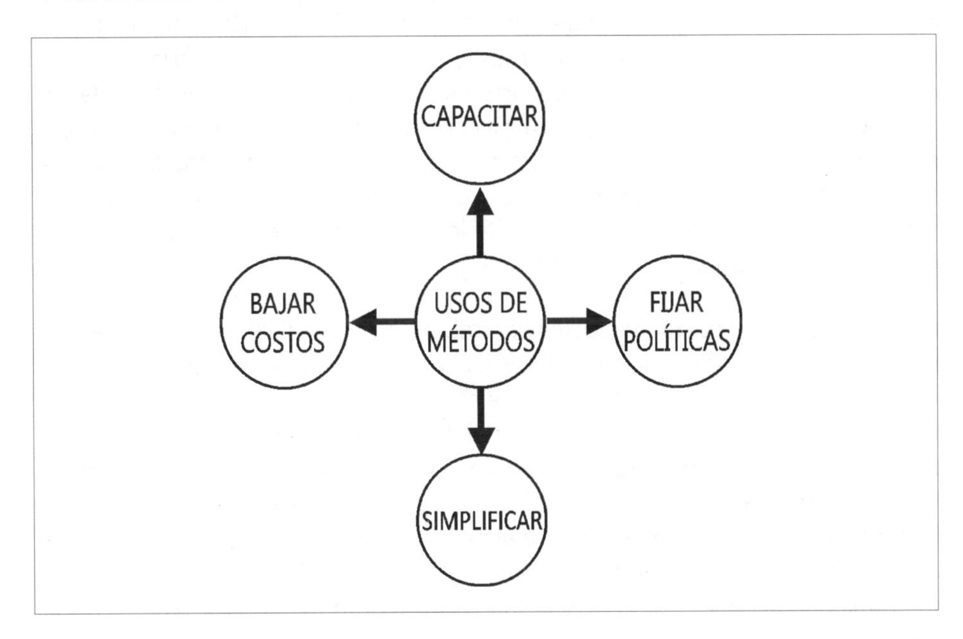

Se utilizan, en Ingeniería Industrial, para apoyar el progreso, la exactitud, objetividad y capacitación de los empleados. Sirve igualmente, para tomar decisiones inteligentes en lo referente a la mejor política, técnica o curso de acción, haciendo énfasis en principios y prácticas o teorías y aplicación.

GRÁFICA 3. APLICACIONES DE MÉTODOS

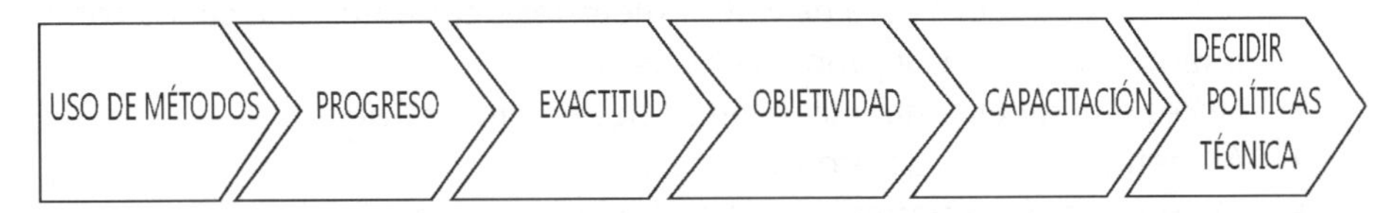

Su enfoque es de ingeniería y de diseño para generar reducción de costos y simplificación del trabajo. Se debe familiarizar con la estadística, el muestreo, la investigación, los movimientos y los tiempos.

Los métodos de trabajo, presentes en toda actividad humana, sirven para diferenciar la habilidad, ingenio y bienestar de los ejecutantes. Ellos han sido los destinatarios de los esfuerzos e innovaciones de la ciencia, causando con ello grandes cambios en la historia del mundo; cambios que han ido mejorando los niveles de vida de las personas. Cualquier actividad que consideremos, nos lo demuestra: el transporte, la comunicación, las diversiones, la educación, la guerra, la industria,.... sirven como ilustración.

En el caso particular de la industria, nuevamente tenemos la fuerza diferenciadora de los métodos, que en el tiempo (artesanado, fábricas del comienzo de la revolución industrial, fábricas modernas) y en el espacio (la industria en países desarrollados y en países menos desarrollados) ¿qué diferencia nuestra siderurgia nacional de otras grandes siderúrgicas? No se diferencian en propósitos, ni en tipo de actividad, sino en la forma de desarrollo de esa actividad. Unas con inconvenientes de producción, otras con procedimientos estancados, pareciera como si la velocidad en la superación de los obstáculos de la producción estuviera determinando su prosperidad.

Recordemos aquí, como ilustración, el trabajo de Frank Gilbreth en el mejoramiento de los métodos y movimientos para la construcción de edificios. Desde que se inició en el oficio, Frank notó que cada albañil tenía su propio método de trabajo y que no había dos que hicieran el trabajo exactamente de igual forma. Estas observaciones pusieron a Gilbreth en el camino de encontrar la mejor forma de ejecutar dicha tarea. Los cambios creados por Gilbreth aumentaron la cantidad de trabajo que podía ejecutar un albañil en la jornada. El ritmo máximo de producción antes de las mejoras era de 120 ladrillos / hora hombre, mientras que después fue de 350 ladrillos /hora hombre, en promedio.

Pero, no se trata acá de justificar la importancia de una formación en análisis y mejora del trabajo; lo que más nos importa y a lo que nos dedicaremos a continuación, será a dar algunas indicaciones sobre la metodología a usar frente a este tipo de problemas.

El origen del problema puede presentarse bajo distintos aspectos, entre ellos:

- Suficiente agudeza para descubrir métodos deficientes calificados como buenos por los encargados de hacerlos.
- Necesidad de eliminar inconveniencias en una actividad.
- Aumentar el ritmo de producción.
- Mejorar las condiciones de trabajo del trabajador.
- Diseñar métodos de nuevas actividades.

El estudio de tiempos generalmente acompaña al de métodos, no porque una mejora en los procedimientos sea imposible de hacer si no se complementa con un estudio de tiempos a esa nueva forma de trabajar. Entre las razones que justifican la complementación de un estudio de métodos con uno de tiempos, están:

Generalmente las reformas deben ser aprobadas por los jefes del proponente, para dar su aprobación; los jefes comparan las ventajas derivadas del cambio, con el costo que dicho cambio conlleva.

Para determinar las ventajas del nuevo método es necesario, entre otros datos, tener la diferencia de duración del trabajo antes y después de la reforma.

Este tiempo unitario ahorrado se relaciona, con aumento de producción, con reducción de mano de obra, o con balanceo de velocidad respecto a otra actividad dependiente.

Con frecuencia, las empresas tienen organizado un sistema de estándares para diversas aplicaciones: programación, incentivos, control, presupuestos.

GRÁFICA 4. ESTUDIO DE MÉTODOS Y TIEMPOS

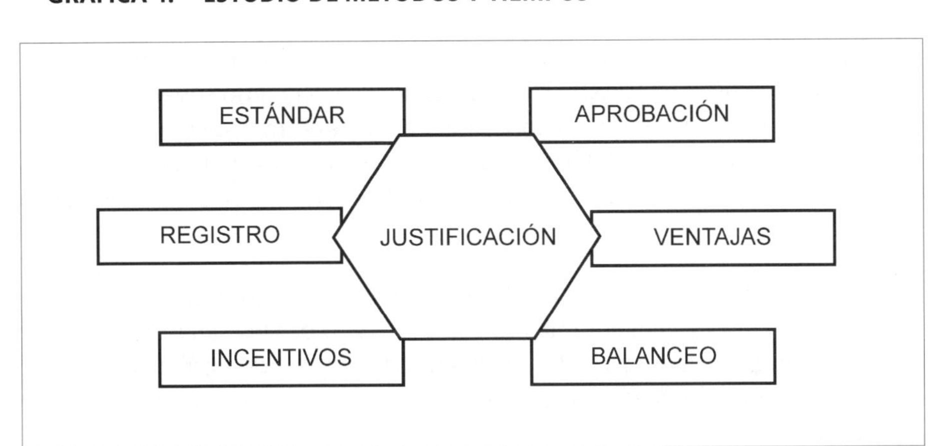

Si el método de trabajo, en una o varias actividades, llega a cambiarse es necesario que la nueva duración quede registrada dentro de los estándares; de otra manera, la utilización que se hiciera del antiguo estándar, no correspondería a la realidad.

Hay una relación estrecha entre métodos de trabajo, tiempo unitario de producción e incentivo. En empresas que tienen sistemas de incentivos, hay que asegurar que, tan pronto se efectúe un cambio notable en el método de trabajo, se haga un ajuste en el estándar y simultáneamente en la tarifa de pago del incentivo. Éstas, entre otras razones, hacen conveniente tratar estos temas en forma tan relacionada.

¿Será condición indispensable saber la cuantía de las mejoras que se hacen, para realmente mejorar? No. Cuántas actividades realizamos u observamos cargadas de ineficiencias y vamos mejorándolas con el sentimiento de ir haciéndolas más fáciles, menos fatigantes, más rápidas, más precisas. No es indispensable de esperar la compra de un cronómetro para eliminar las operaciones innecesarias, ni esperar a que se entrene el personal de una empresa en el uso del cronómetro para quitar transportes de materiales o productos, demoras, almacenamientos y manipulaciones de mercancías. Es bueno recordar que el momento para hacer los cambios llega en el mismo instante en que se comprende que una actividad necesaria se está haciendo mal, sea por su mismo procedimiento o por culpa de los elementos que la influyen.

No caer pues, en la exageración de sostener que solamente se pueden hacer cambios cuando se han hecho minuciosos estudios de métodos, movimientos y tiempos, ha de ser una resolución de los encargados de mejorar los rendimientos del trabajo.

Pero tampoco caer en el costoso y común, entre nosotros, extremo opuesto de tomar los cambios como problema secundario y solucionarlo superficialmente; la prueba de esta ligereza, la encontramos en las enormes distancias que separan las técnicas de operación en las empresas de avanzada, de las técnicas en las empresas estancadas por tantos años estancadas y estas diferencias van hasta las operaciones más simples.

Es finalmente, una experiencia válida para ejercitar la observación, el criterio analítico y objetivo, y el mejoramiento continuo de todas las actividades del ser humano, dentro de un ambiente de buenas relaciones, que ofrezca la mayor seguridad y comodidad para las personas, así como la garantía de no afectar el medio ambiente.

CAPÍTULO I

VISIÓN HISTÓRICA DE INGENIERÍA DE MÉTODOS

El profesional del presente milenio

Para competir efectiva, eficaz, eficiente y productivamente, el profesional deberá construirse un perfil que responda a las exigencias del momento actual.

El escenario en el cual competirán las naciones, las empresas y los profesionales, sugiere un mundo globalizado en busca de la:

GRÁFICA 5. GLOBALIZACIÓN

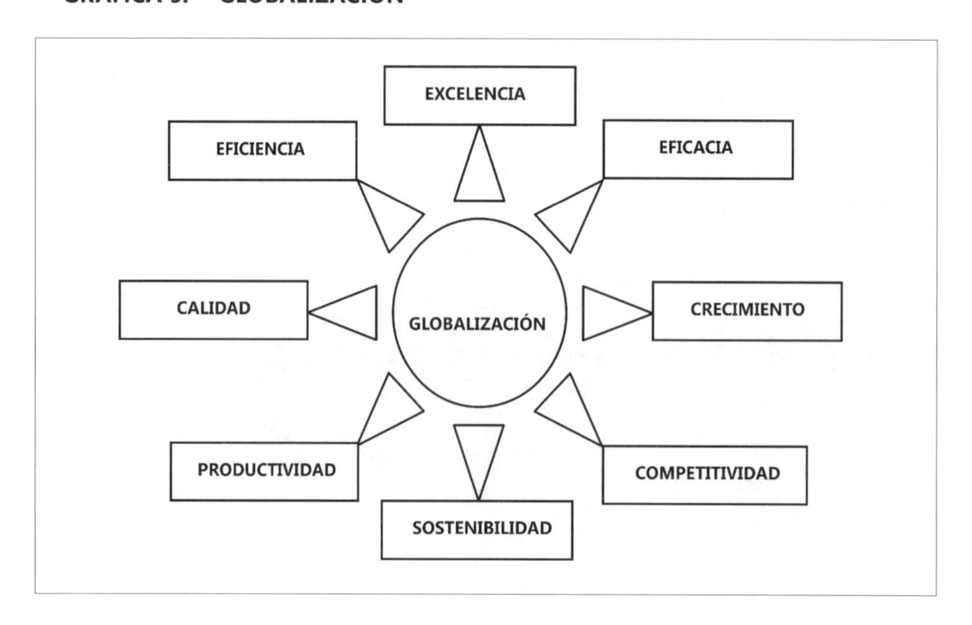

En el que la tecnología de la información y comunicación (TIC) supone cambios trascendentales como:

- Internet.
- Tecnología satelital.
- Teléfono celular que recibe, selecciona y responde.
- Los centros educativos cambiarán para tener una formación más compartida, socializada y lúdica con el resto del mundo.

Para ser más competitivo frente a este panorama, las empresas deberán ser más flexibles y preparadas para asumir con ingenio y creatividad el compromiso de responder a las nuevas formas de mercado. Su misión será un modelo más eficiente, efectivo y productivo.

GRÁFICA 6. PERSPECTIVA EMPRESARIAL

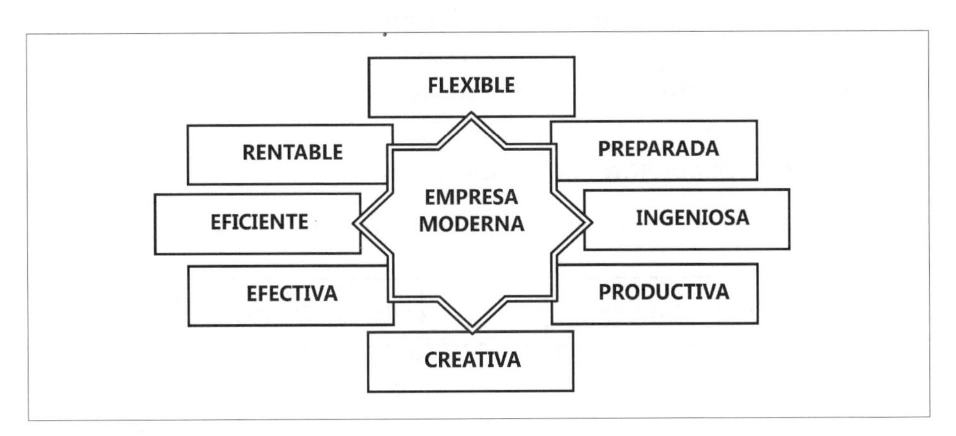

Esta perspectiva requiere un trabajador dispuesto a adaptarse a cualquier actividad, a trabajar en equipo, con rápida capacidad de aprendizaje, que maneje conceptos e información, que asuma y enfrente retos constantes. El cambio de paradigmas empresariales y economía digital, señala que la información, el conocimiento y la forma de utilizarlos son los factores claves del éxito.

GRÁFICA 7. PERSPECTIVA PROFESIONAL

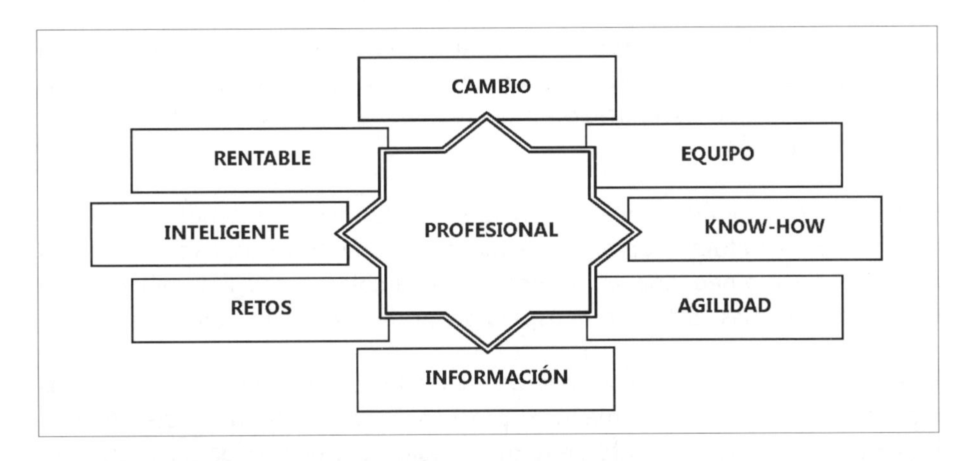

En la nueva economía, basada en la aplicación del KNOW-HOW y el trabajo más inteligente y cerebral creará, cada vez, mayor valor agregado.

Una formación de profesionales integrales, con sensibilidad humana, ambiental y social, que al lado de una profunda percepción y conocimiento de la realidad, estén en condiciones de competir en el mundo de la globalización.

La diferencia es marcada por quienes construyen empresa. Los recursos son iguales para todos, pero cuando se forma empresa, se recibe un estilo propio de administración y se asume el reto tecnológico con la certeza de alcanzar un acertado nivel de éxito.

GRÁFICA 8. FORMACIÓN PROFESIONAL

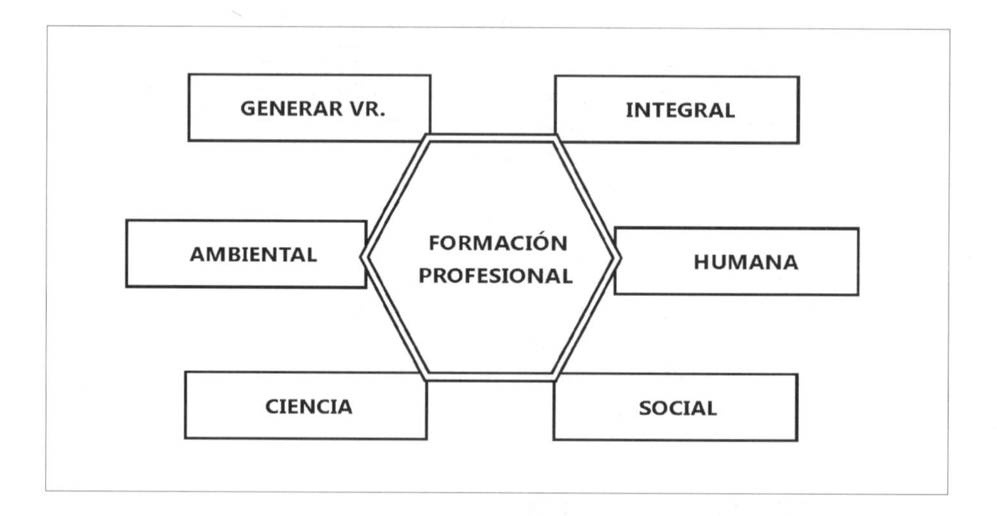

Ahora está en juego la rapidez, astucia e inteligencia del ser humano; la seguridad de objetivos a corto, mediano y largo plazo; el amor y el compromiso por lo que hace; así como la creatividad e innovación. Es lo que lo hacen competitivo.

Comprender el mundo, hacer tecnología con humanismo, tener una mente abierta a otras culturas, contar con habilidades comunicativas, hacer empresas que respondan a necesidades específicas de la colectividad y dominar por lo menos tres idiomas, es lo que se espera del profesional del futuro.

En el presente milenio, la capacidad de liderazgo constituirá uno de los activos más importantes del ser humano. El proceso de formación de líderes deberá iniciar con un cálido ambiente de hogar, seguido por una sólida formación escolar y universitaria, manteniéndose actual en el transcurso de la vida.

El ideal de personas o profesionales, son aquéllos con capacidad para identificar necesidades, plantear alternativas de solución, planificar metodologías de auto-evaluación que midan el cumplimiento de metas y que pueda comunicarse interna y externamente.

GRÁFICA 9. ACTITUD PROFESIONAL

Fortalecer el aprendizaje autodirigido, aprender a convertir la información en conocimiento, contar con un pensamiento analítico y tener una gran capacidad para adaptarse al cambio serán, sin duda, factores de liderazgo que contribuyan al éxito profesional en el futuro.

GRÁFICA 10. PROFESIONAL IDEAL

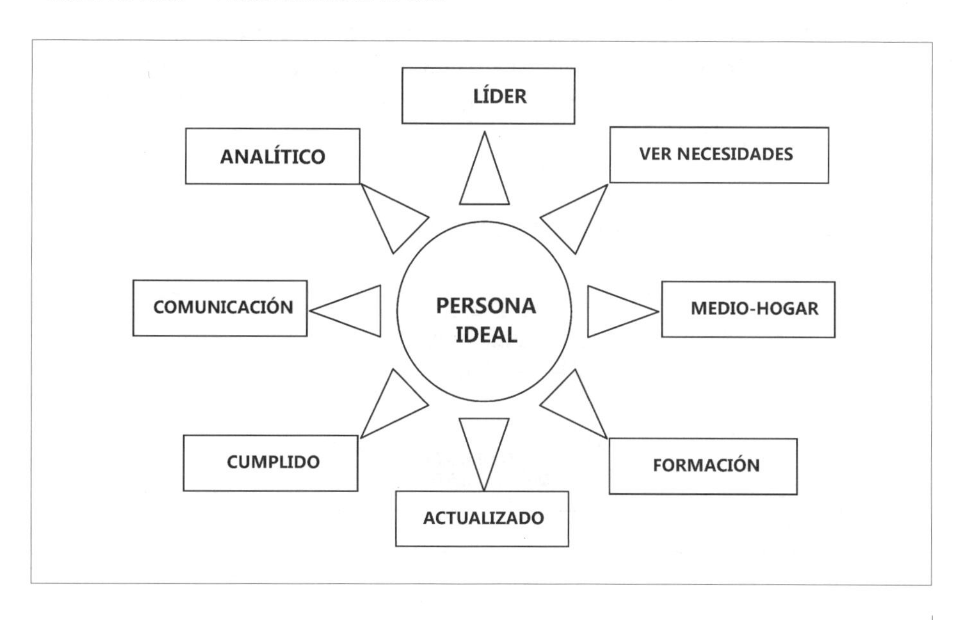

Las Ingenierías

La ingeniería se refiere principalmente a la aplicación de métodos analíticos, de los principios de las ciencias físicas, económicas y sociales y del proceso creativo, al problema de convertir materias primas y otros recursos en elementos o formas que satisfagan las necesidades humanas.

La ingeniería es el arte de planificar el aprovechamiento de la tierra, el aire y el uso y control del agua. Es proyectar, construir y operar los sistemas y las máquinas necesarias para realizar el plan, sin afectar el medio ambiente.

GRÁFICA 11. INGENIERÍA DE TRANSFORMACIÓN

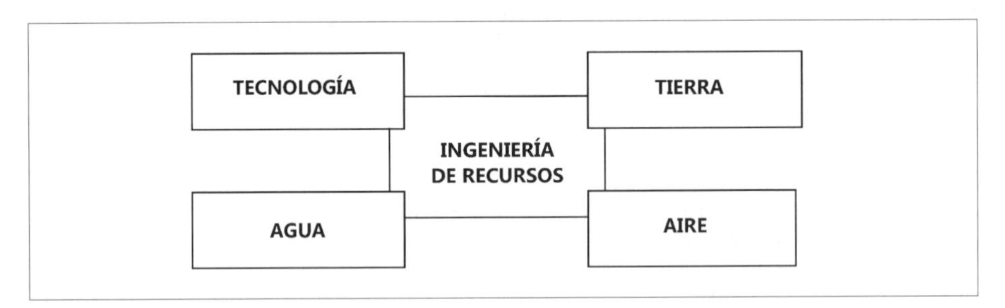

Ingeniero mecánico

El ingeniero mecánico se preocupa principalmente de la transformación de la energía en su forma natural a energía usable. Se ocupa de las relaciones que existen entre masas, movimientos y fuerzas que, a su vez, se dividen en cinemática, estática y cinética.

GRÁFICA 12. TAREA DEL INGENIERO MECÁNICO

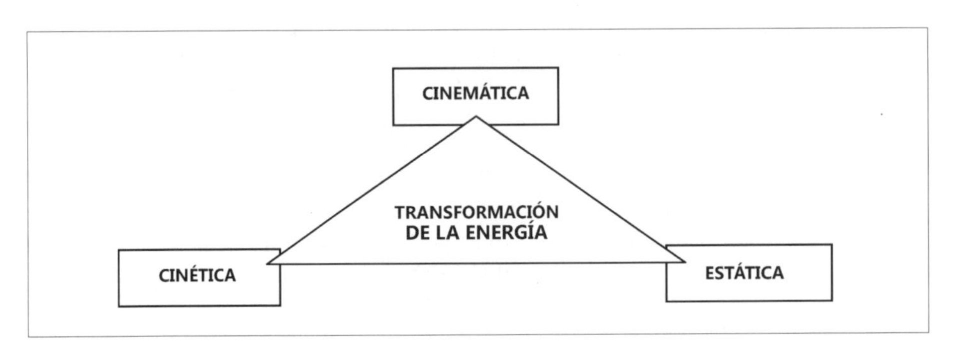

La primera, estudia el movimiento aisladamente; la segunda, las fuerzas independientemente del movimiento; y la tercera, las fuerzas en relación con los movimientos.

Ingeniero industrial

Se ocupa de la transformación de materiales o prestación de servicios, pasando de un estado a otro más aplicable con respecto a forma, lugar, uso y tiempo. Su responsabilidad consiste en diseñar el mejor método de lograr dicha transformación, de manera que maximice el beneficio de la inversión en dinero, tiempo, espacio y satisfacción de clientes internos y externos.

- El ingeniero industrial debe tener las siguientes competencias:
- Agudeza para descubrir métodos deficientes.
- Habilidad para eliminar inconvenientes, –aumentar el ritmo de producción y mejorar las condiciones del trabajador.
- Diseñar los métodos de nuevas actividades.

GRÁFICA 13. COMPETENCIAS DEL INGENIERO INDUSTRIAL

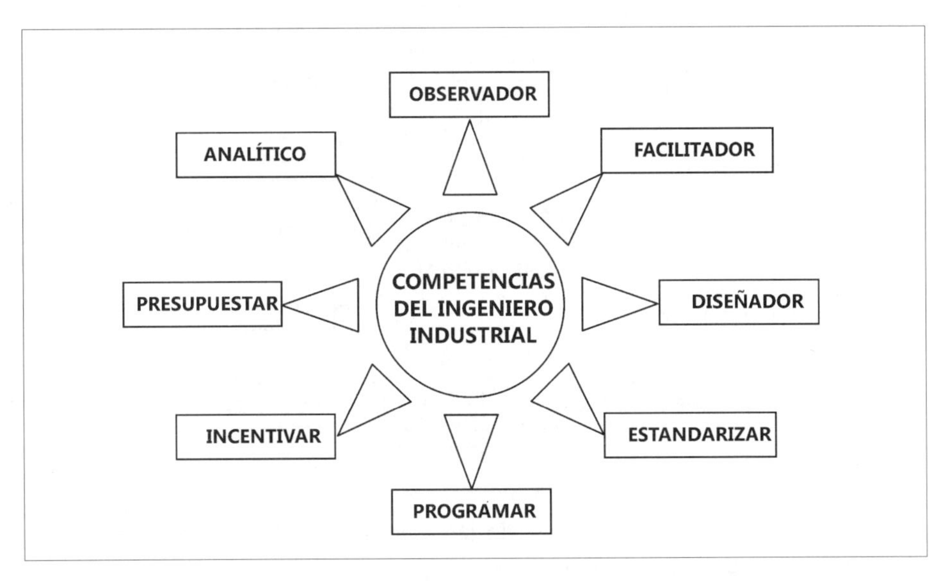

Realizar los estudios de tiempos para comparar ventajas del método como:

- Aumento de producción.
- Reducción de mano de obra.
- Balanceo de línea.
- Velocidad.

- Programar el trabajo.
- Fijar y pagar incentivos.
- Controlar presupuestos.
- Lograr tareas fáciles, menos fatigantes, más rápidas, más–precisas.
- Hacer todo lo demás que el resto de profesiones no hace.

El ingeniero industrial puede especializarse en variados campos, su actividad es muy flexible, puede entonces, diseñar y especificar:

1. Sistemas de producción integrando mano de obra, métodos, máquinas, materiales, espacio, medio ambiente y recursos económicos.
2. Localización y distribución física de las instalaciones.
3. Sistemas de almacenamiento, manejo y transporte a lo largo de la trayectoria que seguirán los productos y materiales, desde que se inicia el proceso hasta terminarlo.

GRÁFICA 14. ESPECIALIDAD DEL INGENIERO INDUSTRIAL

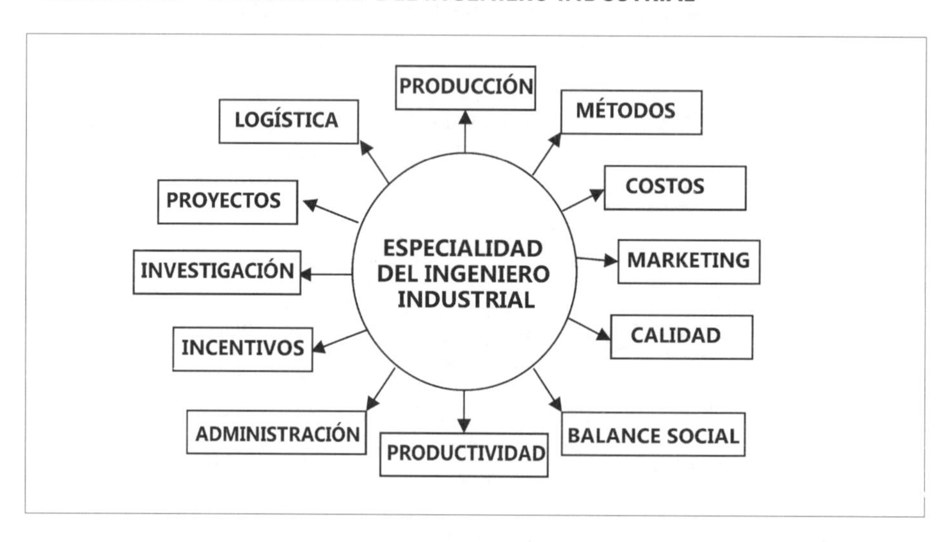

4. Localización de los materiales, de las máquinas y los de operarios antes, durante y después del proceso.
5. Medida del trabajo mediante tiempos de ejecución, volúmenes, grado de mecanización, niveles de habilidad y condiciones de trabajo.
6. Procesos de empaque, envase y embalaje de materiales y productos.

7. Métodos para planear, organizar, dirigir y controlar las funciones empresariales.

8. Sistemas de control de costos, calidad e inventarios.

9. Eliminación del desperdicio en todas sus formas.

10. Balance social de las organizaciones, etc.

Para el futuro los ingenieros industriales deben:

- Estar enfocados en mantener la eficiencia, la eficacia, la productividad, la excelencia en calidad, la sostenibilidad y el crecimiento de las empresas.
- Liderar la investigación y el conocimiento de las necesidades del ser humano y aplicarlas en el mejoramiento del nivel de vida de las personas.
- Ser capaz de adaptarse a cualquier actividad y trabajar en equipo.
- Desarrollar el hábito investigativo y aplicarlo en beneficio de la humanidad.
- Saber utilizar los sistemas de comunicación y poder comunicarse por lo menos en tres idiomas.
- Tener tacto, ser justo y mantener buenas relaciones interpersonales.
- Mantenerse actualizado en todos los avances de la ciencia y de la tecnología.
- Mantener abierta su mente al cambio.
- Desarrollar liderazgo, responsabilidad, compromiso y proyección.

En resumen, la tarea del ingeniero industrial consiste en revisar todo el sistema, abrir y especificar el contenido de la "caja negra", para aprender, aportar y lograr los máximos rendimientos de todo el sistema.

Ingeniería de métodos

Se ocupa de la integración del ser humano en el proceso de producción de artículos o servicios. La tarea consiste en decidir dónde encaja el ser humano en el proceso de convertir materias primas en productos terminados o prestar servicios y en decidir cómo puede una persona desempeñar efectivamente las tareas que se le asignen.

La ingeniería de métodos, considera el papel de una persona en cualquier parte de la organización, desde el gerente hasta el último de los trabajadores.

La importancia de la ingeniería de métodos, radica en el desempeño efectivo del personal en cualquier tarea, ya que el costo de contratar, capacitar y entrenar a una persona, es cada vez más alto. Es evidente que el ser humano es y será por mucho tiempo, una parte importantísima del proceso de producción en cualquier tipo de planta. Pero también es cierto, que su óptimo aprovechamiento dependerá del grado de utilización de su inteligencia, de su potencial de ingenio y creatividad.

La ingeniería de métodos comprende el estudio del proceso de fabricación o prestación del servicio, el estudio de movimientos y el cálculo de tiempos. Por tanto se encarga de prever:

- ¿Dónde encaja el ser humano en el proceso de convertir materias primas en productos terminados?
- ¿Cómo puede una persona desempeñar más efectivamente las tareas que se le asignan?
- ¿Qué método debe seguir y cuál debe ser la distribución de materiales, herramientas, accesorios y equipos en la estación de trabajo?
- ¿Cómo debe cargar y descargar las máquinas y acelerar su puesta en marcha?

GRÁFICA 15. FUNCIONES DE LA INGENIERÍA DE MÉTODOS

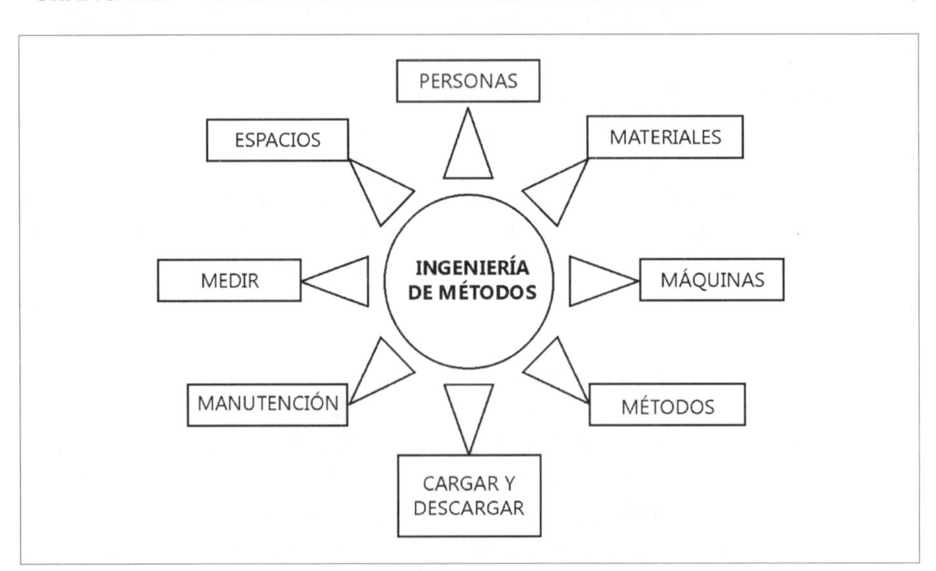

- ¿Cuál debe ser el empaque, envase y embalaje del producto terminado?
- ¿Cómo debe ser el manejo, transporte y almacenamiento de los materiales y productos terminados?

- Medir el trabajo para asignar cargos, teniendo en cuenta los niveles de habilidad de las personas, los grados de mecanización, las condiciones de trabajo y el volumen o cantidad de productos o servicios.
- Aprovechamiento de recursos humanos.
- Aprovechamiento del espacio en sus tres dimensiones.
- Aprovechamiento de equipos, por cuanto la inversión en los mismos es cada vez mayor.
- Eliminar toda clase de desperdicios.

A medida que aumenta la mecanización y la automatización, las personas intervienen en la toma de decisiones, en el registro de irregularidades, en la identificación de problemas que requieren el máximo de habilidad, creatividad, vigilancia y funcionamiento libre de errores.

Las personas son pues, un eslabón crítico en el sistema total, de tal manera que se les debe dedicar toda la atención para que su integración se aproveche con efectividad.

La ingeniería de métodos se caracteriza por:

- Usar técnicas y teorías nuevas.
- Progreso extraordinario, con periodos de superación, de creciente exactitud y objetividad, de perfeccionamiento en perspectiva.
- Ayudar a tomar decisiones inteligentes, con referencia a la mejor política, técnica o curso de acción.
- Dar énfasis a la evaluación de principios y prácticas.

GRÁFICA 16. CARACTERÍSTICAS DE LA INGENIERÍA DE MÉTODOS

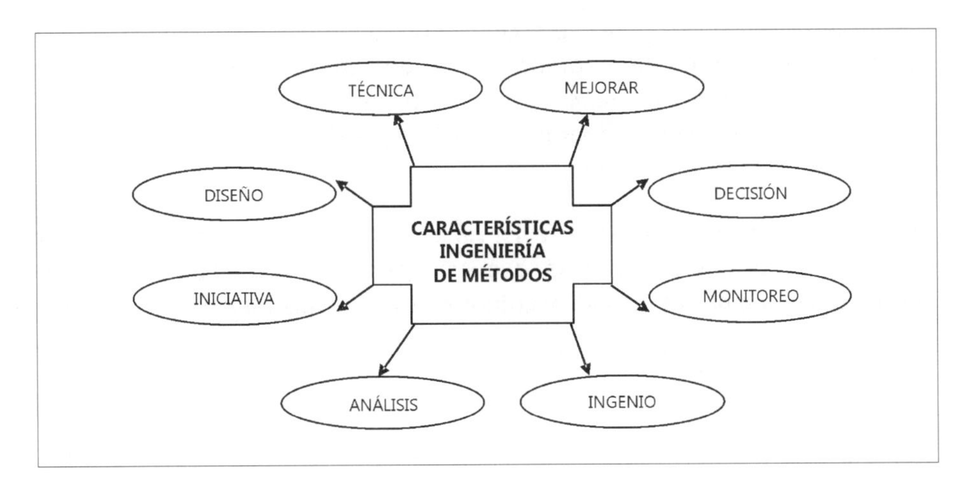

- Su filosofía y procedimientos son de ingeniería y de diseño, de reducción de costos y de simplificación.
- Elevar el criterio analítico por medio de exámenes objetivos.
- Requiere un alto grado de actitud, criterio, inventiva e iniciativa.

Historia y nacimiento de los estudios de métodos, movimientos y tiempos

Frederick Winslow Taylor (1856 - 1915)

Llamado "EL PADRE DE LA ADMINISTRACIÓN CIENTÍFICA". Nació en Filadelfia, puerto del Estado de Pensilvania E.U. Ciudad industrial muy populosa[1]. La vida de Taylor no tiene nada sorprendente ni espectacular, sólo que es parte de una generación que se crea, se recrea y se identifica con esa forma de vida.

Se dice que a los 19 años, por problemas visuales, abandonó la escuela, empleándose en un taller de mecánica, cerca de su casa, donde permaneció durante tres años aprendiendo el oficio de mecánico (1875).

Cuándo cumplió 22 años se empleó en los talleres de la Midvale Steel Works como jornalero (1878). Posteriormente pasó a encargado de reparaciones y mantenimiento, jefe de delineantes y por último ingeniero jefe (1879). Transcurrieron sólo seis años. Por esta misma época estudió ingeniería en el Instituto Stevens, recibiéndose de ingeniero en (1885).

Era un personaje persistente, de acción, sencillo, directo, no le importaba la vida social, no era muy buen orador y consideraba que lo importante en su acción cotidiana era la resistencia y el sentido común. Seguramente, el apego a sus ideas lo llevó a ser un hombre rico y ésta puede ser la mejor muestra de su filosofía.

La importancia de los aportes de Taylor radica en que logró sintetizar y articular las diferentes ideas e inquietudes, que sus antecesores manejaron y con ello pudo diseñar una nueva filosofía y enfoque de la administración.

---

1 Duncan 1991, p.53 y 54

En (1896) ingresó a la fábrica Bethlehem Steel Works y en (1900) comenzó a revelar al público sus teorías sobre la administración científica.

Se destacó también, como inventor y llegó a registrar cerca de 50 patentes sobre máquinas, herramientas y procesos de trabajo. Sus investigaciones más importantes fueron:

1. Hizo la primera presentación de sus trabajos en la American Society of Mechanical Enginners, a la cual ingresó en 1985 con un estudio experimental llamado "A note on Belting" notas sobre correas.

2. Posteriormente publicó "A Piece Rate of System" un sistema de gratificación por pieza, en el cual describía un sistema de administración y dirección donde sostenía que éste debería ser el principio básico de cualquier modalidad con criterios técnicos de remuneración para los obreros.

3. A él se debe también, la invención de los aceros rápidos.

4. Descubrimiento y valoración de las variables que influyen en el corte de los metales, como la velocidad de corte y el avance. Existen doce variables que afectan la velocidad de corte:

    - Dureza.
    - La composición química del acero del buril y su tratamiento térmico.
    - El espesor de la viruta.
    - El perfil del filo del buril.
    - La cantidad de enfriador o refrigerante.
    - La profundidad del corte.
    - El tiempo de corte sin tener que afilar el buril.
    - Los ángulos de filo y de salida de corte de la herramienta.
    - La elasticidad de la pieza a trabajar y de la herramienta (vibración).
    - El diámetro de la pieza a trabajar.
    - La presión de la viruta sobre la superficie cortante de la herramienta.
    - La fuerza de tracción y los cambios de velocidad y avance de la máquina.

GRÁFICA 17. PRINCIPALES INVESTIGACIONES DE TAYLOR

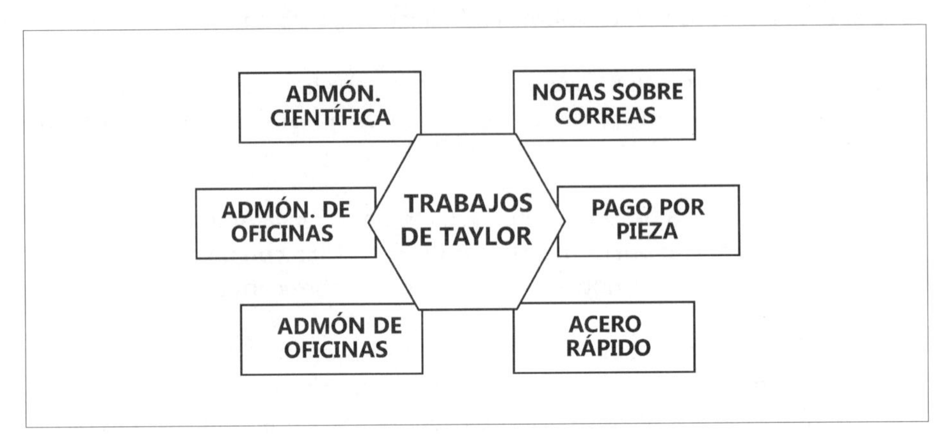

5. En (1903), ya retirado del trabajo fabril, publicó su libro "Shop Management" "Administración de Oficinas". "Se refiere a que la actitud de trabajar lo menos posible, es decir, trabajar lentamente, de manera que no se llegue a hacer el trabajo correspondiente a la jornada, tiene su origen en dos causas:
   - El instinto y la tendencia natural del hombre, es tomarse las cosas con calma, esto es "poco rendimiento natural".
   - Un "bajo rendimiento sistémico", lo llevan a cabo los trabajadores con el expreso fin de mantener a sus patrones en la ignorancia de lo rápido que podría hacerse realmente el trabajo.

6. En 1911 publicó, "Principles of Scientific Management" Principios de Administración Científica[2]. En ella destacó que: "la conservación de los recursos naturales no es más que el preludio a la cuestión más amplia de la eficiencia nacional". Resaltó la desaparición de los bosques, el desperdicio de la fuerza hidráulica, la erosión de la tierra, el final de los yacimientos de carbón, mineral de hierro y en fin, el derroche de las cosas materiales. En los recursos humanos destacó la importancia del adiestramiento sistemático de los operarios y la instrucción correcta de dirigentes. Señaló que su obra planteaba:
   - La gran pérdida en todo el país, como consecuencia de la ineficiencia en casi todas las acciones cotidianas.
   - El remedio de esta ineficiencia es la administración sistemática, basada en principios, reglas y leyes claramente definidos.

---

2 Duncan 1.991, p. 53-54

- La administración científica es válida para todas las actividades humanas: el hogar, las granjas, las iglesias, las universidades, el gobierno y la empresa en general.

La administración científica no es meramente un sistema para mantener los costos estables, ni un sistema de estudio de tiempos o supervisión funcional, no es un nuevo esquema de eficiencia o de compensación del personal. Es una completa revolución mental, un cambio de actitud hacia el trabajo. Consideraba que:

1. Empleados y patronos no son actores antagónicos, sino protagónicos del sistema de producción.

2. Sólo la eficiencia y la eficacia en la producción pueden asegurar la máxima prosperidad para el patrón y para los empleados. La máxima prosperidad entendida como, lograr un elevado nivel de excelencia de forma general, sostenida y constante en la sociedad.

3. Producir eficientemente quiere decir, trabajar con calidad y ello implica que el trabajo de la fábrica debe realizarse con gasto mínimo de esfuerzo humano, de recursos naturales, con el desgaste mínimo de maquinaria, herramientas, edificio, etc.

Máxima productividad = Máxima prosperidad.

Según Taylor, en países como Estados Unidos e Inglaterra, el desempeño más común de los trabajadores, era bajo el principio de "trabajar menos de lo posible, esto es, trabajar lentamente, de manera que no se llegue a hacer todo el trabajo correspondiente a una jornada". Siendo esta la clase de rendimiento que se muestra a la gerencia, conviene entender sus causas:

La falacia de que todo aumento, en el rendimiento del trabajador o de la máquina, implica dejar sin trabajo a un gran número de obreros. Es el miedo a que la tecnología desplace al trabajador. Perturbaciones que reprodujeron en todos los países por la introducción de la máquina a vapor, el ferrocarril, los computadores, la automatización, los robots, etc. La inmensa mayoría de los trabajadores siguen creyendo que, si trabajan con la mayor rapidez posible, cometerían una gran injusticia al dejar sin trabajo a muchos de los de su gremio, a pesar de que la historia del desarrollo de cada oficio muestra que cada mejora, ya sea por el invento de una máquina o por la introducción de un sistema mejor, ha dado como resultado el aumento de la capacidad productora de los que trabajan en el oficio y el abaratamiento de los costos, en lugar del despido de trabajadores.

GRÁFICA 18. DESEMPEÑO DEL TRABAJADOR

Al final, se generó más trabajo para otros hombres.

2. En (1913) se inicia la oposición en E.U. En Europa, Emilio Pouget publicó el célebre folleto "L'Organisation du Surmenage".

3. Los defectuosos sistemas de administración, de uso corriente, que hacen necesario que todo trabajador rebaje su rendimiento o trabaje poco a poco, para poder proteger así sus intereses y mantener su autonomía.

4. Los ineficientes métodos de trabajo establecidos a ojo de buen cubero, que todavía imperan en todos los oficios y en cuyos ejercicios malgastan gran parte de sus esfuerzos la mayoría de los trabajadores, se debe a que cada trabajador tiene a su cargo la responsabilidad final de hacer el trabajo, en la forma que cree que es la mejor, con relativamente poca ayuda y asesoramiento por parte de la dirección.

5. Trabajar de esta manera es sólo empirismo, es sólo experiencia heredada de generación en generación, conocimiento desorganizado; y la moderna sociedad capitalista demanda del trabajo fabril un conocimiento racional, organizado y sistematizado.

6. Para que el trabajo pueda hacerse de acuerdo con las leyes científicas, es necesario separar el trabajo de planeación, del trabajo de ejecución y hacer este último dependiente del primero. A esto se refiere Taylor cuando habla de una colaboración estrecha entre la dirección y los obreros.

El punto crítico ahora, es la eficiencia gerencial, es decir, cómo la administración puede garantizar un mayor rendimiento sistemático en la producción.

Poderosas empresas, valiéndose de toda clase de recursos para conquistar la colaboración de sus operarios, fueron transformando la organización de sus talleres, mejorando su beneficio industrial y la remuneración de sus asalariados y así abaratarón notablemente sus productos. Ford en 1908 dijo, "quiero un cambio completo en la organización del trabajo".

En 1925, después de la huelga Australiana y del período de más agria lucha del sindicalismo norteamericano contra la escuela de Taylor, logró que el Congreso de los E. U. aprobaran una ley para acabar con ciertas prácticas de inspección en los establecimientos de la Confederación Guillermo Green, sucesor de Samuel Gompers en la presidencia de la American Federation of Labor y declarara contundentemente que los obreros norteamericanos, no sólo se sentían orgullosos del gran nivel de producción que en todo el mundo les era reconocido, sino que la Federación Americana del Trabajo era francamente partidaria de todo cuanto tendía a incrementar y mejorar la producción, porque así se mejoraban las condiciones para todos los integrantes de la organización.

Cuatro son los principios que fundamentan la eficiencia de la gerencia racional científica:

1. Reemplazar el empirismo por el conocimiento científico. Esto es reunir, analizar, codificar y organizar toda la información empírica existente en la empresa.

2. Seleccionar y entrenar científicamente al trabajador, de tal manera que se pueda desarrollar al máximo posible su prosperidad y la de la empresa.

GRÁFICA 19. PRINCIPIOS DE ADMINISTRACIÓN CIENTÍFICA

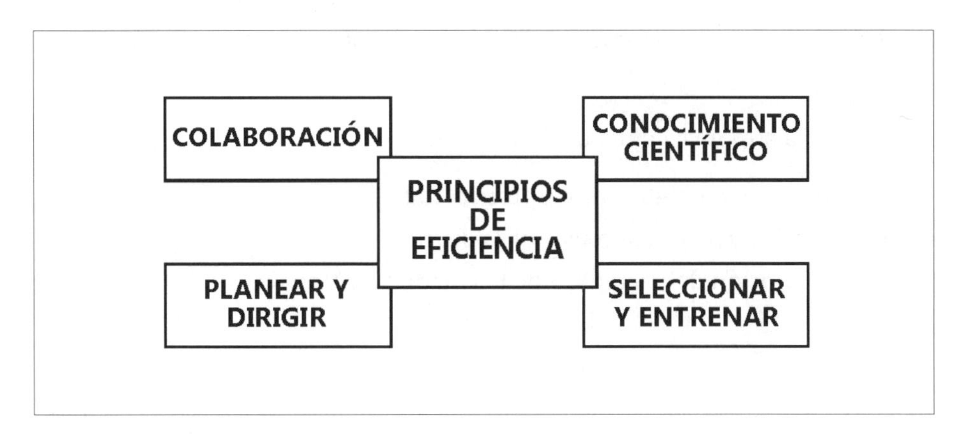

3. Dirigir el trabajo basados en la colaboración de los trabajadores.

4. La gerencia debe asumir su responsabilidad de planear y dirigir el trabajo e inspirar a los trabajadores a ejecutarlo conforme a sus bases científicas.

Se puede notar cómo los principios de administración científica que sintetizó Taylor, siguen siendo en buena medida, la base de la administración moderna.

El trabajo es el elemento esencial en la creación de riqueza. Es de interés humano mejorar:

- El rendimiento.
- La capacidad adquisitiva.
- La organización industrial.
- La producción industrial.

El país que pretendiera permanecer al margen del desarrollo industrial, sería fatalmente invadido por la producción extranjera y encontraría su fin próximo en la bancarrota y la ruina. Consagrarse a la investigación mediante[3]:

- Estudio de los elementos del trabajo humano.
- Métodos conducentes a mejorar el rendimiento de la producción industrial.

Los principios del método científico, establecidos por Taylor pueden sintetizarse así:

1. Ley de concentración e integración: repetición.

2. Ley de la división del trabajo: división en elementos mesurables, constantes.

3. Ley de la armonía; íntima unión recíproca:

   - Elección del objeto simple, preciso, útil.
   - La mejor y más económica organización.
   - Preparación del material y de los medios de trabajo.

3 Comité de los Congresos Institucionales para la Organización Científica del Trabajo. Praga Checoslovaquia. Instituto Internacional de Organización Científica de Trabajo. Ginebra, Suiza. Burea International du Travail (B. I.T) Francia.

- Observación de los principios siguientes:
  - Que el operario realice el mismo método.
  - Que en la investigación varíe solamente uno de los factores del problema.
  - Comprobación final de los resultados obtenidos.

Estudio de las condiciones del trabajo

Este estudio ha sido de interés para los investigadores, tanto por lo que atañe a la mejor forma de aprovechar el esfuerzo humano, como por lo que se refiere a la fatiga y aptitudes personales. En el primer aspecto, el estudio de los movimientos y de los tiempos ha originado una verdadera técnica de investigación (Motion Study) que comprende:

- Descomponer la operación en las fases fundamentales.
- Establecer en cada fase, las subdivisiones necesarias para llegar a los movimientos elementales.
- Se usó el cronómetro para tomar tiempos, el cinematógrafo para registrar el método, el ciclógrafo de Gilbreth para registrar el tiempo y el método a la vez.
- El estudio de la fatiga, tanto física como mental, es atendida por fisiólogos y biólogos.

GRÁFICA 20. CONDICIONES DEL TRABAJO

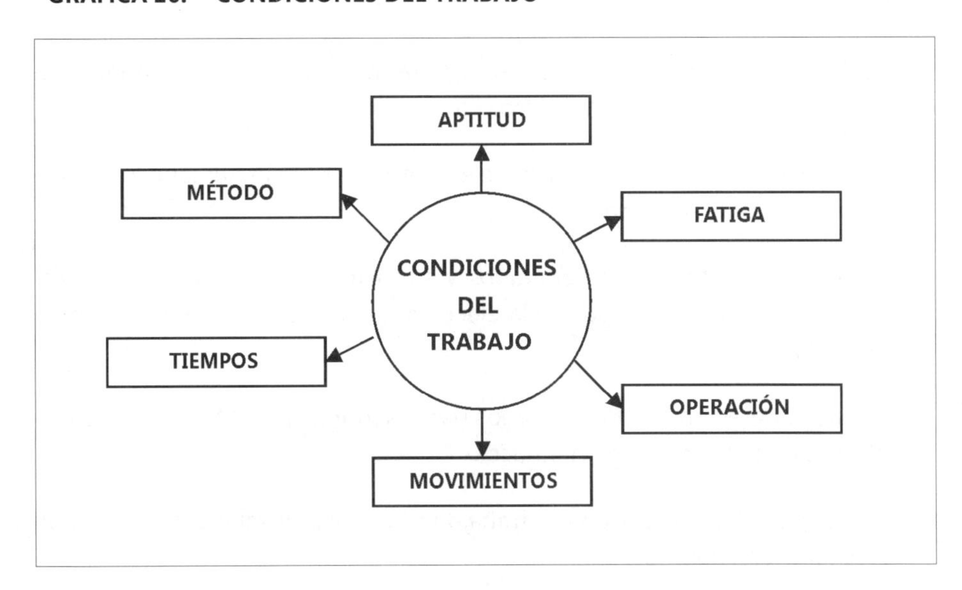

Las aptitudes personales para las distintas clases de trabajo son, así mismo, objeto de estudios científicos por profesionales Psicotécnicos. Son ejemplos, la carga de lingotes, estudiada por Taylor en la Bethen Steel Company, donde se usaban 75 hombres y un encargado, consagrados a la carga de lingotes, y cuyo peso individual era de 45 kilogramos, logrando que en la jornada de doce horas, de la época, cada obrero cargara diariamente 12 toneladas de lingote.

Taylor eligió dos operarios, a los que juzgó con mayor aptitud que los demás y les ofreció doble remuneración si durante un período se prestaban a obedecer fielmente las instrucciones que le serían dadas y a trabajar con toda su buena voluntad, así Taylor estudió los movimientos de coger, transportar y soltar los lingotes, como las sucesiones de trabajo y reposo, demostró que cada obrero con condiciones físicas adecuadas, para la clase de trabajo, podía cargar diariamente, sin fatiga, hasta 47 toneladas de lingote. De esta manera llegó a establecer la "LEY DE TRABAJO MÁXIMO" con la que determinó que el operario podría estar cargando 43% del tiempo y descargando durante 57%. Los ensayos permitieron pues, elevar el rendimiento de la población, algo así como 4 veces más y aumentar el tiempo de descanso y recuperación del operario.

El método consistió en:

- Seleccionar el personal convenientemente.
- Elevar el jornal.

Doctrina de Taylor

La organización científica de Taylor consiste esencialmente en un sistema filosófico que resulta de combinar cuatro grandes principios:

1. Desarrollo de una ciencia de cada elemento de trabajo humano, para sustituir el método empírico.

2. Selección científica de los operarios y su instrucción sistemática, con estímulo progresivo, en lugar de la elección de la tarea y del método por el operario.

3. Íntima cooperación con los operarios para asegurar que el trabajo se realice obedeciendo los estudios científicos.

4. Repartición proporcionada del trabajo y de la responsabilidad entre la dirección y los operarios.

GRÁFICA 21. DOCTRINA DE TAYLOR

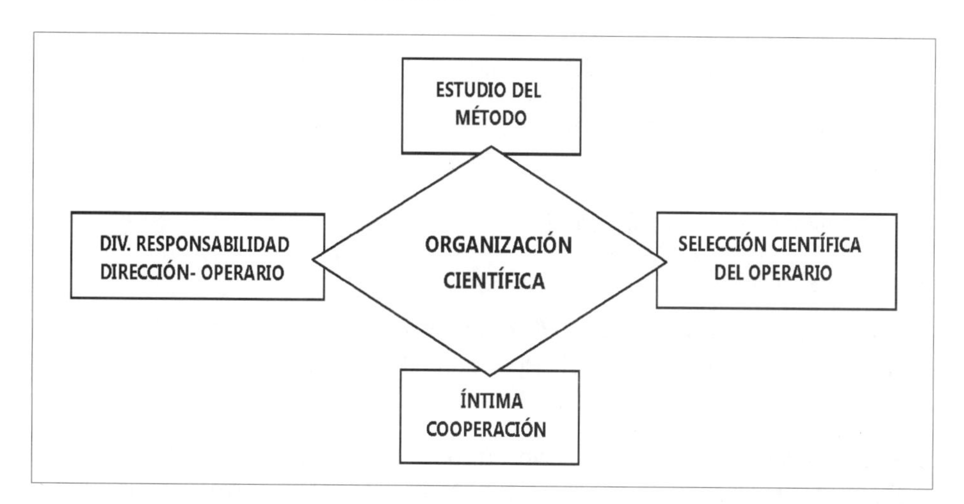

La mejor organización es aquella que se funda sobre los salarios elevados y la mano de obra económica. Es necesario ofrecer salarios que excedan un 30% al salario medio, para lograr que los buenos obreros puedan trabajar a mayor velocidad.

Para los trabajos ordinarios a jornal, que exigen poca inteligencia o habilidad especial, pero que reclaman un ejercicio corporal vigoroso, es necesario pagar de 50 a 60 % por encima del ordinario.

Para los trabajos que requieren inteligencia y habilidad especiales y una atención sostenida, pero sin fatiga muscular, el aumento del salario debe oscilar entre el 70 al 80%.

Finalmente, para los trabajos que además de inteligencia exigen esfuerzo, el aumento debe llegar hasta de 60 a 100%.

Frank Bunker Gilbreth (1868-1924) y Lilliam Gilbreth

El estudio de movimientos realizado por los Gilbreth, combinaba los conocimientos de psicología e ingeniería para llevar a cabo un trabajo en[4] el que se incluía la compensación del factor humano, así como el conocimiento de los

4. OIT, *Op. cit.*

materiales, herramientas, máquinas e instalaciones. Sus actividades cubren un amplio campo:

1. Estudio sobre la fatiga y la monotonía.
2. Formación y trabajo para los retrasados.
3. Diagrama del proceso.
4. Estudio de micro movimientos.
5. Cronociclografía.

En 1885 Gilbreth, de 17 años, entró como empleado de un contratista de obras, donde comenzó a aprender el oficio de albañil. Fue ascendido rápidamente y al principio del siglo, era contratista por su cuenta.

Desde el comienzo en el oficio, Gilbreth notó que cada albañil tenía su propio método de trabajo, lo que lo llevó a encontrar la mejor forma de ejecutar el oficio del albañil. Vio la manera de perfeccionar los métodos, sustituyendo los movimientos por más cortos y menos fatigosos. Tomó fotografías de albañiles trabajando y de su estudio obtuvo conclusiones para aumentar la producción entre sus obreros.

Luego, inventó un andamio que podía elevarse rápida y sencillamente para la colocación de ladrillos en la construcción, con un aparejo ordinario, que permitía mantenerlo a todo momento en el nivel más conveniente para evitar agacharse al operario. Tenía una bandeja para sostener los ladrillos y el mortero a una altura conveniente para el obrero. La preselección de ladrillos y el mantenimiento de la mezcla a la humedad adecuada, permitió pasar de 120 ladrillos de 2.5 kilogramos, con 18 movimientos, a 375 ladrillos por albañil por hora, con 5 movimientos.

El estudio de los micro movimientos desarrollado por Gilbreth, logrados con cámaras tomavistas fue presentado en 1912 ante la Sociedad Americana de Ingenieros Mecánicos. El estudio consiste en tomar los elementos de una operación con una cámara filmadora y un dispositivo de medida del tiempo, que indica con exactitud, los intervalos de tiempo en la película. A su vez, permite hacer el análisis de los movimientos elementales registrados en la cinta y la asignación de valores de tiempo a cada uno de ellos.

La cronociclografía, consiste en registrar la trayectoria del movimiento de un operario en tres dimensiones, colocándole una lámpara eléctrica pequeña en un dedo, en la mano o en otra parte del cuerpo y fotografiando con cámara estereoscópica la trayectoria de la luz mientras se mueve en el espacio. Si se coloca un interruptor en el circuito eléctrico de la lámpara, y se da la luz rápidamente y se apaga despacio, se obtendrá en la fotografía una línea de trazos con puntos en forma de pera que indica la dirección del movimiento. Los puntos de luz estarán distanciándose con la velocidad del movimiento, quedando muy separados cuando el operario se mueve de prisa y muy próximo cuando el movimiento es lento. En el gráfico se puede medir con exactitud el tiempo, la velocidad, la aceleración y el retraso; además muestra la trayectoria del movimiento en tres dimensiones.

Así pueden construirse modelos en alambre, representando las trayectorias de los movimientos.

Gilbreth utilizó esta técnica para perfeccionar los métodos, para demostrar los movimientos correctos y para ayudar en la enseñanza de los trabajadores.

En un banco de Milán se utilizaban 72 empleados para llevar 10.000 cuentas corrientes. En un banco de New York organizado según nuevos métodos los mismos 72 empleados atendían 47.000 cuentas corrientes.

Muchos otros experimentos se realizaron logrando incrementos importantes en su productividad. Todos los experimentos de la época utilizaron los siguientes hechos:

- Seguridad ante todo.
- Colocar al hombre adecuado en el lugar adecuado.
- Evitar que una persona desarrolle el trabajo que puede hacer una máquina.
- Organizar el trabajo de modo que nadie se fatigue en movimientos inútiles al realizarlo.
- Las piezas deben presentarse previamente al operario.
- Hacer funcionar la máquina sin descanso, a toda velocidad y el mayor tiempo posible, así se amortizará rápidamente y podrán ser remplazadas por otras más perfeccionadas.

Harrington Emerson (1853 - 1931)[5]

Emerson realizó sus estudios en varios países europeos (Alemania, Inglaterra, Italia, Grecia, entre otros) lo cual lo posibilitó para hablar 19 idiomas y a los 23 años de edad era ya jefe del departamento de idiomas extranjeros modernos de la Universidad de Nebraska, trabajo que luego abandonó para dedicarse a actividades empresariales.

5 MAYNARD H. B. *Manual de Ingeniería y Organización Industrial. 3ra.* Edición, Reverte, España 1985. 1.900 p.

Como ingeniero consultor, realizó investigaciones económicas y de ingeniería en los ferrocarriles en varias partes de los Estados Unidos, introduciendo sistemas novedosos para el registro contable de los costos y las operaciones ferroviarias. Su experiencia fue tal que llegó a ser considerado como el primer ingeniero de eficiencia. En su escrito "La eficiencia como base de las operaciones y los salarios (1908) en el que, por cierto, comparte con Taylor la idea de prosperidad. Emerson indica: "si los humanos pudiesen ser tan eficientes como la naturaleza, no habría pobreza ni beneficencia".

Para Emerson el problema de la ineficiencia humana puede resolverse de dos maneras:

- Creando métodos que permitan capacitar a las personas, al máximo de lo que ellas puedan hacer, en relación con las tareas o con los fines establecidos, puesto que las personas son eficientes sólo el 60% al realizar sus objetivos de trabajo.
- Diseñando formas de fijación de objetivos que requieran el mayor desempeño posible, en razón a que las eficiencias actuales son menores del 1% de nuestra capacidad real.

Sin embargo, Emerson aclara que en cuanto al desempeño de los empleados, la eficiencia es inalcanzable para los sobrecargados de trabajo, los mal pagados y los mediocres. La eficiencia se alcanza cuando las cosas correctas se hacen de la manera correcta, por el empleado adecuado, en el lugar y en el tiempo debido.

Cinco años después de sus primeras reflexiones escritas, Emerson perfecciona sus ideas sobre la eficiencia y escribe su libro *Los principios de la eficiencia* (1983), en el que señala 12 principios y en el que sostiene que la eficiencia produce mejoras ya que las personas trabajan más inteligentemente y no más duramente. Se trabaja inteligentemente cuando se sabe el ideal para el cual se trabaja.

El principio fundamental de Emerson es el que afirma que las personas trabajan con el máximo provecho cuando conocen las metas por cuya obtención deben esforzarse. El autor con profundo fervor evangélico, sostiene que más que objetivos y metas, deberíamos hablar de ideas y es así como redacta el primer principio de eficiencia: "IDEAS CLARAMENTE DEFINIDAS". Aquí, Emerson escribe lo que hoy es obvio. Es necesario que la administración inculque a los trabajadores objetivos claros, pues de lo contrario los trabajadores habrán de fijarlos por inspiración propia y esta desvinculación de ideas genera vaguedad, desorientación e incertidumbre en las empresas.

Emerson les lanza un desafío a los administradores: o establecen sus propias ideas y rechazan todos los principios de eficiencia que no convengan a sus propios objetivos, o por el contrario, aceptan los principios de eficiencia y la organización deriva de ellos y crean los ideales elevados que corresponden a ésta.

Este primer principio de la eficiencia es definitivo en la práctica de la administración contemporánea y constituye la base de lo que Peter Drucker propuso, hacia los años de 1970, como la administración por objetivos. Por otra parte, las empresas guiadas por la planeación estratégica, hoy en día, redactan declaraciones en las que establecen su filosofía empresarial y como componente importante de esa filosofía colocan la misión de la empresa a la cabeza de sus planes.

Buscan que el personal asuma los principios de esa misión como propios para, finalmente, lograr que se conviertan en partes vitales de la cultura organizacional de la empresa.

Los famosos doce principios de Emerson son los siguientes:

1. Saber lo que se está tratando de lograr.
2. Sentido común para distinguir entre los árboles y el bosque.
3. Buscar el consejo de personas competentes.
4. Obediencia estricta.
5. Rectitud y justicia.
6. Tomar decisiones fundadas en los hechos.
7. Planificación científica de todas las actividades, integrándolas hacia un mismo fin.
8. Fijar un método y un tiempo estándar para ejecutar las tareas.
9. Uniformidad en las condiciones del medio ambiente.
10. Uniformidad del método.
11. Instrucciones por escrito de la práctica estándar.
12. Recompensar la ejecución exitosa de una labor.

GRÁFICA 22. PRINCIPIOS DE EMERSON

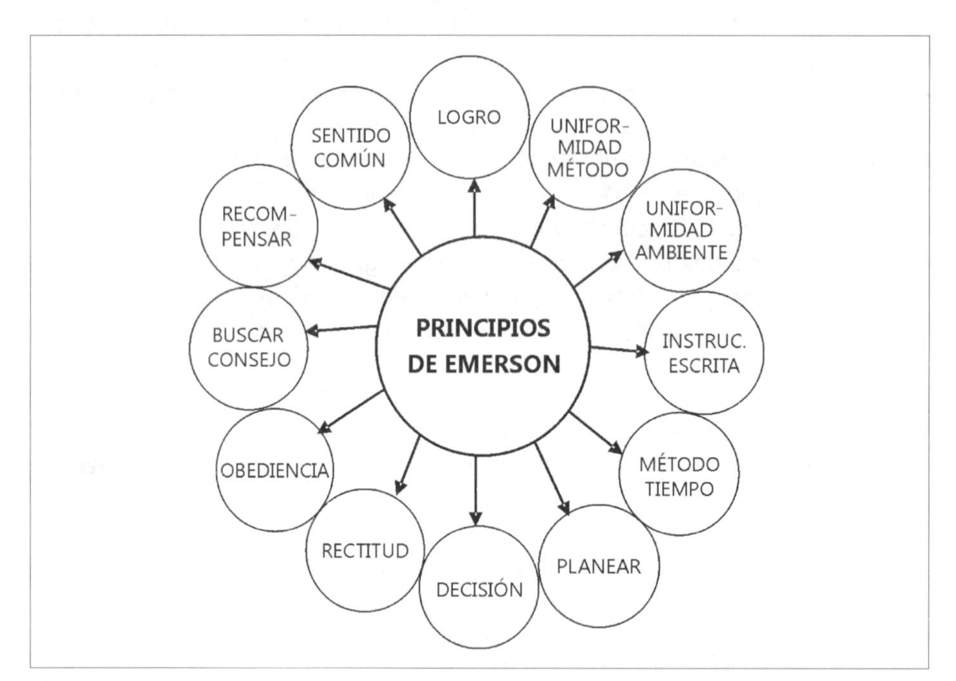

Dice Emerson que la eficiencia también es el resultado del tamaño de la empresa e indica que cuando las fábricas y las plantas son muy grandes y complejas, su gestión se hace poco efectiva y entonces el remedio es la descentralización y la gradual reducción de su tamaño hasta encontrar el tamaño ideal.

Emerson estableció un concepto moderno de lo que debe ser la eficiencia y los principios que garanticen su logro. Pero los principios no bastan, hacen falta herramientas que nos permitan determinar cómo, cuándo y de qué manera se es eficiente. Las repuestas a estos interrogantes fueron provistas por los estudios de los esposos Gilbreth.

Henri Fayol (1841 - 1925) Énfasis en la Estructura[6]

La Preocupación por la estructura comenzó con el ingeniero francés Henri Fayol alrededor de 1916, con la publicación de su libro "Administración industrial y general".

6 CHIAVENATO, Idalberto, Administración en los Nuevos Tiempos, Mc Graw Hill. Colombia, 2002. 711 p.

El énfasis en la estructura organizacional refleja la preocupación por la formación de una red interna de relaciones entre los órganos que componen la organización y el establecimiento de un conjunto de principios universales para que funcionen bien. Para Fayol, toda empresa está compuesta de seis funciones básicas:

- Financiera.
- Técnica.
- Comercial.
- Contable.
- De seguridad.
- Administrativa.

La función administrativa coordina e integra las demás y está constituida por cinco elementos:

- Previsión.
- Organización.
- Mando.
- Coordinación y
- Control.

Fayol, también estableció catorce principios generales de administración que debían regir el trabajo del administrador. Pretendía trazar los caminos de una ciencia mediante principios generales de organización que sirvieran a todo tipo de empresa y funcionaran como aspectos normativos y prescriptivos para focalizar todas las situaciones. Con Fayol, surgió la teoría clásica de la administración, cuya idea era estandarizar y proporcionar normas genéricas y de aplicación, como modelo para afrontar los temas administrativos.

Los principios generales de administración fueron:

1. División del trabajo. Aumenta los resultados y vuelve más eficientes a los empleados.
2. Autoridad y responsabilidad. Derecho de dar órdenes y deber u obligación de cumplirlas.
3. Disciplina. Obedecer y respetar normas como resultado de un liderazgo eficaz.
4. Unidad de mando. Cada empleado subordinado a un solo superior.
5. Unidad de dirección: Un mismo objetivo dirigido por un gerente a través de un plan.
6. Subordinación de lo individual a lo general.
7. Remuneración. Los trabajadores deben tener salarios adecuados.
8. Centralización. La toma de decisiones se debe centralizar en la administración.
9. Jerarquía. Es la línea de autoridad que va desde la cima hasta el nivel más bajo.
10. Orden. Personas y materiales deben estar en el lugar adecuado.
11. Equidad. Prestar atención y ser justo con los empleados.

12. Estabilidad. La rotación elevada produce ineficiencia.
13. Iniciativa. Poner su esfuerzo personal.
14. Espíritu de equipo. Armonía y unidad en la organización.

Elton Mayo (1880 - 1949)
Movimiento de relaciones humanas[7]

Australiano, fue científico social, profesor y director de investigaciones sociales de Harvard.

Mayo, se preocupó por los estudios de productividad en la planta de Hawthorne de Western Electric Company, después que el National Research Council se retirara. La planta de Hawthorne, cerca de Chicago, inició un proyecto de investigación para estudiar los factores que influían en la productividad (1924-1933).

La hipótesis de este estudio era: "que una mayor iluminación en el área de trabajo incrementaría la productividad". Se determinó que el estudio no arrojó los resultados esperados porque incidieron muchos factores adicionales. La National Research Council se retiró del estudio pero Mayo, de la Universidad de Harvard, se interesó en los esfuerzos de la compañía y se unió a ellos para continuarlo.

Se eligió, instruyó y instaló a un grupo de cinco mujeres en una sala de ensamble experimental, donde se controlarían los factores causantes del fracaso del estudio de iluminación inicial.

Ahora la hipótesis era: "que un cambio en las condiciones de trabajo daría como resultado un cambio en la productividad". Con el fin de aislar los factores estudiados, los experimentadores se esforzaron por fomentar una actitud positiva de los trabajadores hacia la investigación, la gerencia y a su trabajo. También dedicaron tiempo a escuchar a las operadoras y a hablar con ellas. Los factores estudiados fueron:

1. Sistema de incentivos.
2. Períodos de descanso.
3. Descansos pagados para almuerzo.
4. Eliminación del trabajo sabatino.
5. Reducción de las horas de trabajo.
6. Almuerzos y bebidas gratis.

---

7 CHIAVENATO. Op. Cit. 2002.

Se estudió la organización informal y su influencia sobre la productividad y se comprobó que la productividad mejoraba conforme a la actitud positiva de las trabajadoras, aún cuando las condiciones no fueran las mejores. De esta manera surgió una nueva hipótesis: "Mejore la actitud de los empleados y aumentará la productividad". En los tiempos modernos, la gerencia de las empresas hace participar a la fuerza laboral en todas las fases de desarrollo e implementación de los productos.

Visión para el presente milenio

Los factores económico, tecnológico, político, social como sexo, edad, salud y bienestar, tamaño físico y fuerza, aptitud, actitud, capacitación, satisfacción en el trabajo y respuesta al cambio, tienen ingerencia directa en la productividad.

CUADRO 1. INFLUENCIA DEL TRABAJO

	Producción manual	**Producción Mecanizada**	**Producción Automatizada**
Ejemplo	Cortar con serrucho. Remar en bote.	Cortar con sierra. Manejar auto	Máquinas de control numérico. Líneas de Transmisión automática.
Fuerza	Humana	Máquina	Máquina
Control	Humano	Humano	Máquina
Impacto Ambiental	Mínimo	Medio	Alto
Entrenamiento	Bajo	Medio	Alto
Oficina	Mecanografiado Mensaje, archivo	Computador	Terminal computador Red.
Servicio	Bajo	Medio	Alto

Las tendencias actuales de la ingeniería de métodos, movimientos y tiempos se caracterizan por las siguientes acciones:

- Un plan para el mejoramiento de métodos y estándares como un insumo en: el presupuesto, las estimaciones, la evaluación del desempeño y la documentación como base de datos, así como el diseño del trabajo, las tareas, estaciones de trabajo y entorno laboral.
- Un organismo dedicado a la investigación para desarrollar guías y estándares para la salud y seguridad del trabajador.
- El impacto de la legislación en los empleadores repercute en las prácticas de reclutamiento, contratación, promoción, capacitación, despido, licencias y asignación de trabajo.
- La medición del trabajo, el uso de técnicas computarizadas y sistemas de muestreo y tiempos predeterminados, no sólo de la mano de obra directa sino del trabajo indirecto.
- Mantener la práctica de la ingeniería industrial en un nivel profesional; promover la integración entre los miembros de la profesión; alentar y apoyar la educación, la investigación y promover el intercambio de ideas e información con publicaciones en revistas y servir al interés público con la identificación de personas calificadas, con registro profesional para ejercer como ingenieros industriales.
- Definir, apoyar y promover la ergonomía como una disciplina científica para educar, intercambiar e informar a los negocios, la industria y al gobierno como medio para mejorar la calidad de vida.
- Guía de administración del programa de ingeniería de métodos, como herramienta indispensable en la eficiencia, eficacia y productividad de las empresas.

CUADRO 2. COMPORTAMIENTO FUTURO

FACTOR	**PAÍS**	**EMPRESA**	**PROFESIONAL**
ECONÓMICO	• GLOBALIZACIÓN DE LA ECONOMÍA. • FOMENTAR APROVECHAMIENTO DE RECURSOS. • FOMENTAR GENERACIÓN DE NUEVAS EMPRESAS.	• MÁS FLEXIBLE AL MERCADO. • MODELO MÁS EFICIENTE Y PRODUCTIVO. • ECONOMÍA DIGITAL. • EXPLORAR NUEVOS MERCADOS.	• CONOCIMIENTO • ACTITUD. • VISIÓN • HABILIDADES CONCEPTUALES.
TECNOLÓGICO	• TECNOLOGÍA SATELITAL • FOMENTAR PRODUCCIÓN DE BIENES DE CAPITAL. • FOMENTAR LA INVESTIGACIÓN.	• KNOW- HOW. • ROBOT. • MEJORAR PROCESOS. • AUTOMATIZAR.	• HABILIDADES TÉCNICAS. • INVESTIGACIÓN Y DESARROLLO. • ÁRBOL TECNOLÓGICO.
POLÍTICO	• ELIMINAR LA CORRUPCIÓN. • PREDISPOSICIÓN AL CAMBIO. • SEGURIDAD Y JUSTICIA	• RESPONDER A NUEVAS FORMAS DE MERCADO.	• LÍDER. • SENSIBILIDAD SOCIAL. • BUEN COMUNICADOR
SOCIAL	• EDUCACIÓN COMPARTIDA Y SOCIALIZADA. • GENERACIÓN DE EMPLEO. • ELIMINACIÓN DE LA POBREZA. • FORMACIÓN POR COMPETENCIAS. • BALANCE SOCIAL.	• CAPACITACIÓN. • RESPUESTA A NECESIDADES DE LA COLECTIVIDAD.	• ADAPTABLE • INGENIOSO Y CREATIVO. • TRABAJAR EN EQUIPO. • RÁPIDO APRENDIZAJE. • ABIERTO A OTRAS CULTURAS. • SENSIBILIDAD HUMANA.

EJERCICIOS

1. Redacte un artículo que describa la labor que debe desarrollar el ingeniero de métodos en las organizaciones del mundo actual. (No más de 15 renglones)

2. Describa, conforme a su leal saber y entender, las principales actividades que deben desempeñar actualmente:

   a. Los ingenieros industriales.
   b. Los ingenieros de métodos.

3. Describa las cinco principales causas de la ineficiencia de las actividades humanas.

4. ¿Cuáles son los cinco principios de eficiencia de la gerencia racional científica establecidos por Taylor?

5. El objetivo perseguido por el estudio de métodos, tiempos y movimientos es:

   a. Ambiente, calidad y productividad.
   b. Medios, eficacia y resultados.
   c. Eficiencia, eficacia y productividad.
   d. Cambio, exactitud y motivación.

6. El enfoque del estudio de métodos, movimientos y tiempos es:

   a. Reducción de costos, ingeniería y diseño.
   b. Investigación, estadística y muestreo.
   c. Comunicación, transporte y educación.
   d. Operación, tiempo y suplementos.

7. Las razones que justifican los estudios de métodos, movimientos y tiempos son:

   a. Tareas rápidas, precisas y fáciles.
   b. Eliminar, capacitar y cronometrar.
   c. Técnicas avanzadas para introducir cambios.
   d. Duración, costos, producción e incentivos.

8. Hoy los productos requieren de mayor valor agregado y esto se logra con profesionales:

   a. Efectivos, preparados, experimentados y solidarios.
   b. Integrales, sensibles, sociales, con percepción y conocimiento.

c. Humanos, estrictos, técnicos y sociales.
d. Líderes, con conocimiento y capacidad.

9. La ingeniería de métodos se ocupa de:
   a. Aprovechamiento del espacio, materiales y herramientas.
   b. Diseño del empaque, envase y embalaje.
   c. Integración, desempeño y aprovechamiento de inteligencia.
   d. Medir el trabajo, aprovechar los recursos y eliminar el espacio libre.

10. Shop Management, Principles of Scientific Management, A Piece Rate of System, A Note on Belting fueron obras escritas por:
    a. Frank B. Gilbreth. b. Harrington Emerson.
    c. Henri Fayol. d. Frederick Taylor.

11. Cuando las fábricas y las plantas son muy grandes y complejas, su gestión se hace poco efectiva y su remedio es la descentralización y la reducción de su tamaño, lo sostiene:
    a. Elton Mayo b. Harrington Emerson.
    c. Adam Smith. d. Peter Drucker.

12. El estudio de los factores que influían en la productividad de las empresas fue realizado por:
    a. Karl Bark. b. Henri Fayol.
    c. Elton Mayo. d. Harrington Emerson.

CAPÍTULO II

LOS MÉTODOS

Procedimiento para estudio de métodos

El proceso de diseño es la metodología general del diseñador para la solución de problemas. La técnica empleada en su estudio se relaciona, en lo esencial, con la aplicación del método experimental ideado por Descartes. Su procedimiento actualizado para desarrollar un centro de trabajo, fabricar un producto o proporcionar un servicio consta de siete fases:

Formulación del problema

Lo primero es seleccionar el proyecto, los procesos y sistemas de operación, los productos nuevos o rediseños por funcionalidad, calidad, costos o competitividad, todo conforme a los resultados de los diagramas de proceso, de Pareto, causa-efecto. Luego de la selección se deben presentar los datos, los dibujos, los planos, el ciclo de vida, las especificaciones, los requerimientos de cantidad, calidad y entrega.

Posteriormente se debe examinar y analizar de manera crítica y sistemática, los diferentes elementos del proceso de fabricación, ensamble o prestación de un servicio, a fin de eliminar los elementos o actividades innecesarios y deducir la forma óptima de operar.

La descripción de las características del problema debe ser breve y general, verbal o diagramática, sin detalles ni restricciones, lo menos específica con el fin de dejar libre el camino para ampliar la variedad de métodos. Amplitud total del problema. Un problema de diseño de métodos puede formularse así:

- Encontrar el método más económico de ensamblar varias piezas, para obtener el producto diseñado.
- Encontrar el método más económico y oportuno para prestar un servicio.
- Encontrar el método más económico para transformar la materia prima en una pieza terminada. La familiarización con los atributos generales de un problema son los fundamentos de los métodos generales de solución.

GRÁFICA 23. FORMULACIÓN DEL PROBLEMA

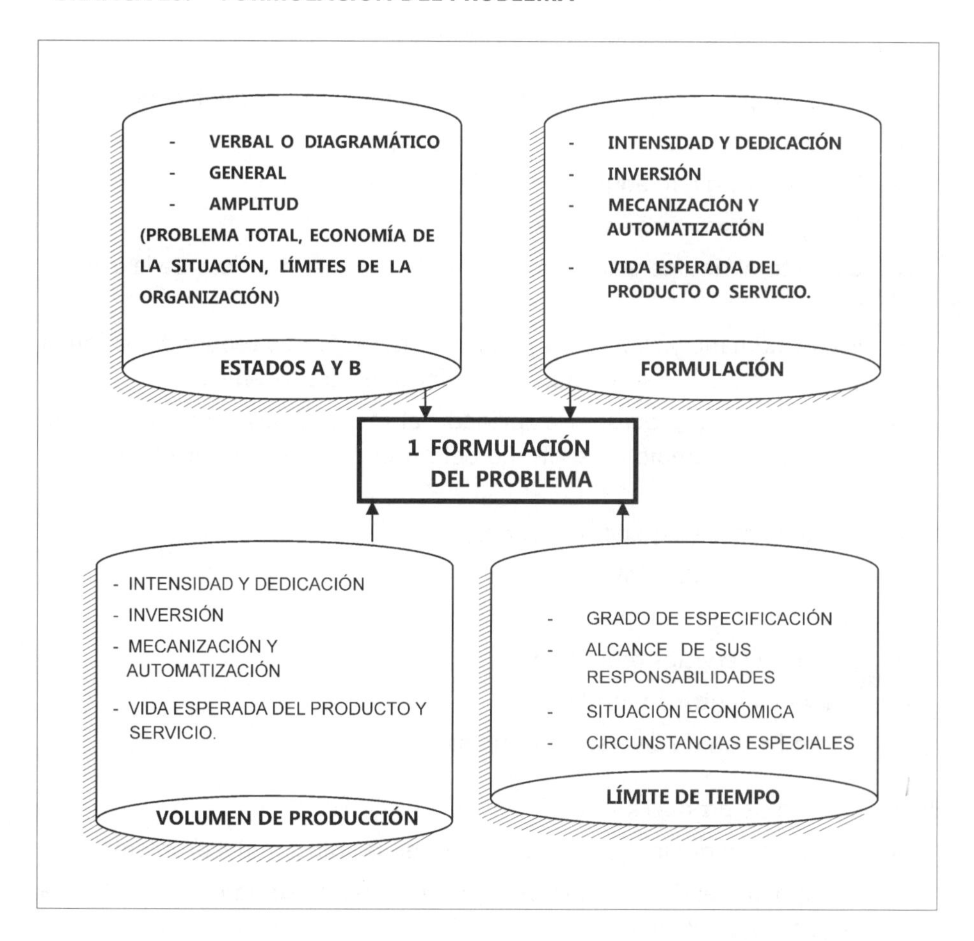

El diseño en esencia, es la solución de problemas con métodos que maximicen la ganancia en la inversión de tiempo, dinero y demás recursos. Una descripción breve y general de las características del problema, libre de detalles y restricciones, incluye cuando menos:

1) Los estados de entrada y salida:
   - Uno inicial, entrada o punto de partida, denominado "estado A". Otro final, salida, objetivo o resultado, denominado "estado B".
   - Número de soluciones posibles conocidas. Eventos, inversión en tecnología, dinero y tiempo para lograr la transformación del estado A en estado B. Más de un método posible para lograr la transformación.
   - Volumen, cantidad o repeticiones. El número de repeticiones de la transformación de los estados.

- Límite de tiempo para encontrar la solución.
- Ventajas de las alternativas propuestas.

2) Los criterios principales, cuantitativos y cualitativos de formulación son:
   - Ganancia máxima.
   - Inversión original requerida por el posible método.
   - Tiempo de producción requerido.
   - Costo total de operación y mano de obra requeridas durante la instalación.
   - Factor humano y clima laboral. Estudio del esfuerzo requerido, la fatiga y la monotonía, la seguridad, la satisfacción y los incentivos.
   - Factor técnico, proceso. Flexibilidad del método respecto a la tasa de producción, cambio en el diseño del producto, grado de mecanización, etc.
   - Herramientas y equipo necesario.
   - Pérdida durante la instalación.
   - Tiempo de aprendizaje.
   - Energía y servicios requeridos.
   - Mantenimiento requerido.
   - Coordinación de diversos productos.

3). El volumen de producción:
   - Intensidad y dedicación del diseñador en la solución del problema.
   - Tiempo que el diseñador debe dedicar económicamente a un problema según sea su volumen.
   - Inversión. Capital que puede invertirse justificadamente en la solución de un problema.
   - Grado de mecanización y automatización.

CUADRO 3. PROCESO DE SOLUCIÓN DE PROBLEMAS

Fases del proceso de diseño	Forma de aplicación
1. FORMULACIÓN DEL PROBLEMA. Descripción breve y general de las características del problema, libre de detalles y restricciones; incluye: • Los estados A y B. • Los criterios principales. • Volumen. • Límite de tiempo.	Su amplitud depende de: • El alcance de las responsabilidades del diseñador. • La situación económica que aporte. • El límite de tiempo y dinero que pueden ser dedicados al problema. • Circunstancias especiales como personas involucradas. • Cuidarse de formular problemas ficticios o atacar la solución actual en vez del problema mismo.
2. ANÁLISIS DEL PROBLEMA. Determinación detallada de las características del problema con investigación, aclaración y análisis de los hechos; comprende: • Especificación de los estados A y B. • Los criterios y su importancia relativa. • Las restricciones.	Hacer una lista detallada de las características del problema y sus restricciones reales y ficticias. Analizar cada detalle sometiéndolo a preguntas como: ¿qué? ¿quién? ¿cómo? ¿cuándo? ¿dónde? ¿por qué? ¿para qué? Para responder se usa: • La observación. • La entrevista a personal involucrado. • video tape. • Aquí se pondrá en duda la utilidad de cada actividad buscando eliminar, combinar, reordenar, o simplificar.
3. BÚSQUEDA DE ALTERNATIVAS. Cubre una búsqueda parcialmente fortuita, sistemática y directa con base en las restricciones, volúmenes y criterios. La búsqueda termina cuando su costo equilibre las mejoras (factor económico) ofrezca la mayor seguridad para las personas, equipos e instalaciones (factor seguridad) y tenga la aceptación o acogida de operarios, directivos y dueños(factor psicológico)	Se trata principalmente de buscar: • Variedad de procedimientos de ensamble. • Distribución de lugares de trabajo. • Secuencia de eventos, tipo de equipos, etc., basándose en sus propias ideas y otras fuentes de inspiración como libros, manuales, conversaciones, experiencias y soluciones similares.
4. EVALUACIÓN DE ALTERNATIVAS Consiste en evaluar cualitativa y/o cualitativamente c/u de las alternativas posibles, basándose en: • Selección de criterios, beneficios, satisfacción de clientes, operarios, dueños y seguridad. • Efectividad de c/u de las alternativas. • El valor cuantitativo y/o cualitativo. • Comparación de alternativas.	Mediante fórmulas simplificadas que utilizan los costos de operación y la inversión de las alternativas; se calcula y compara: • Costo anual total. • Período de amortización de capital. • Interés anual obtenido en la inversión.

5. ADMINISTRACIÓN DE LA SOLUCIÓN PREFERIDA Es la descripción de las especificaciones y características de funcionamiento de la solución escogida con el propósito de facilitar su instalación y control; incluye: • Inversión. • Distribución de puestos de trabajo. • Procesos. • Equipos y materiales. • Comunicación a todo el personal responsable de la decisión, aplicación, administración, mantenimiento, transferencia tecnológica y resistencia al cambio.	Poner en marcha la solución propuesta significa destacar los beneficios esperados así: • Aumento de producción. • Mejora de calidad. • Reducción de costos. • Disminución de fatiga del operario. • Mayor seguridad para personas, materiales, máquinas e instalaciones.
6. ESTRATEGIA DE APLICACIÓN. Diseñar el método de aplicación de suerte que genere: • La menor resistencia entre el personal. • El menor traumatismo a la producción y al personal. • Los menores costos de aplicación. • La mejor imagen para la empresa.	Evaluar las consecuencias del cambio para tomar la decisión que beneficie a la mayor cantidad de personas y comunicar lo que se hará con las personas que no participan de la solución; así: • Preparar el personal para pensión o para que generen su propio empleo. • Ubicarlas en otros trabajos u otras empresas. • Indemnizarlas y despedirlas sin resentimientos.
7. SEGUIMIENTO. Proceso de monitorear la aplicación de la solución preferida de suerte que se ajuste a lo previsto, planeado y esperado.	Establecer los estándares y los indicadores de gestión útiles en el control y ajuste de la aplicación.

- Vida esperada del producto o servicio.
- Grado de especificación.
- Alcance de las responsabilidades del diseñador.
- Situación económica que aporte.
- Circunstancias especiales, como personas involucradas.

4) Se debe evitar formular problemas ficticios o atacar la solución actual en vez del problema mismo. Algunas fricciones que se originan por la intervención de las personas en el desarrollo de sus diferentes funciones son:
    - El diseñador, se caracteriza por diseñar productos que resultan muy costosos y en ocasiones casi imposibles de fabricar y ensamblar.
    - Los ingenieros de producción, protestan porque el diseñador no suele prever las complicaciones que originan sus especificaciones.
    - Los financieros, intervienen por la necesidad de la rotación del capital.
    - Los mercadotecnistas, por la urgencia de satisfacer rápidamente al cliente.
    - Es obvia la necesidad de coordinar a los distintos especialistas con el objeto de minimizar las fricciones y dificultades.
    - El uso de ayudas diagramáticas y auxiliares son útiles sólo cuando no van en detrimento de las habilidades del diseñador.
    - Hacer películas es costoso, lo cual limita su aplicación justificada, pero hoy tenemos equipos que nos permiten tomas reales y nos proporcionan información auténtica.

FALLAS:

1. ¿Cuál es la realidad del problema? La costumbre de resolver problemas de forma pura e irreal.
2. Falta de habilidad para identificar problemas en la vida real.
3. Atacar la situación actual en lugar del problema mismo.

ACTITUD:

1. Estar seguro que el problema merece su atención.
2. Tener un punto de vista amplio respecto al problema.
3. Evitar los detalles y las restricciones.
4. Ser cautelosos con los problemas ficticios.

Análisis del problema.

Se efectúa mediante objetivos, diseños, datos, dibujos, tolerancias, esquemas, especificaciones, materiales, manejo de materiales, procesos, preparación de herramientas, requerimientos de calidad, entregas, proyecciones del ciclo de vida, diagramas de proceso, condiciones de trabajo, distribución en planta, tecnología y diseño del trabajo.

GRÁFICA 24. ANÁLISIS DEL PROBLEMA

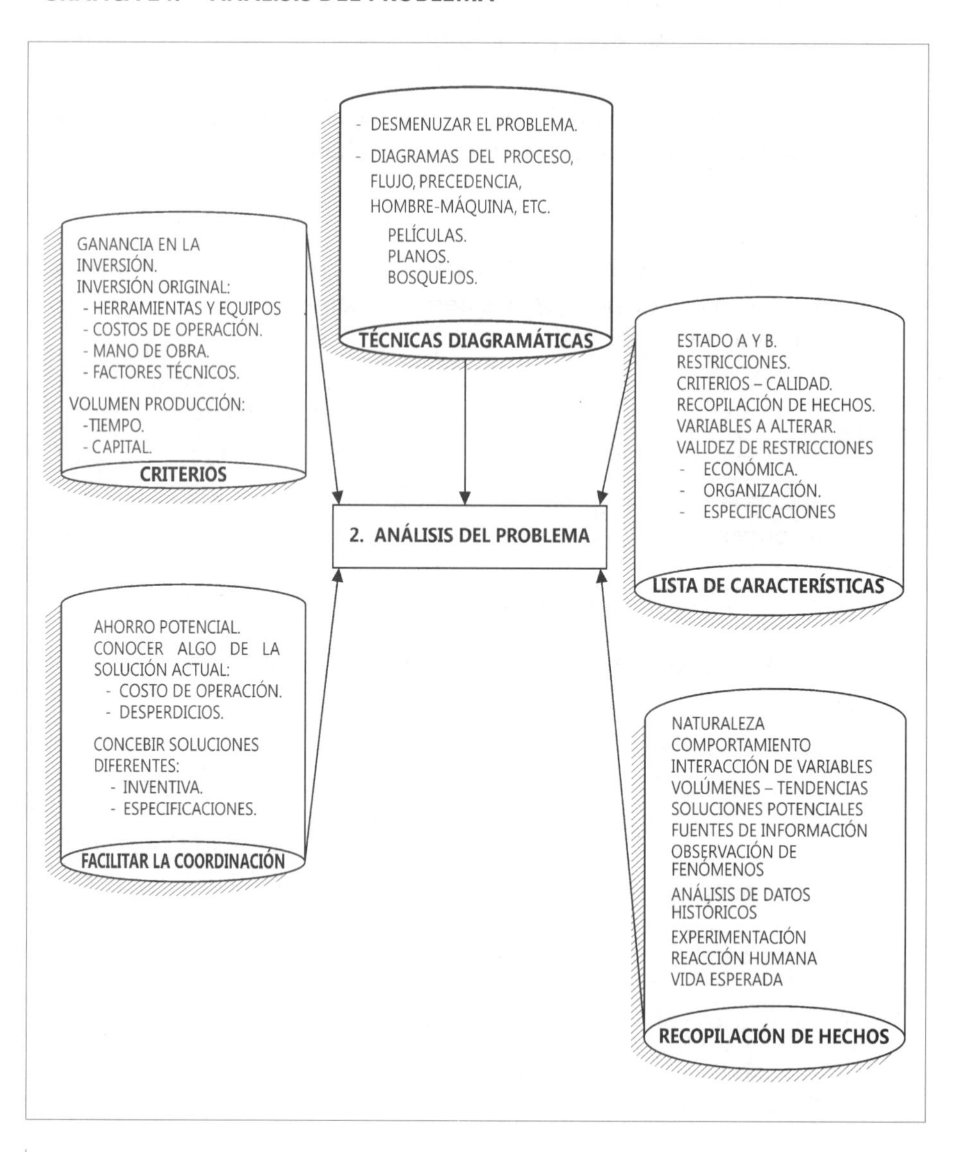

- Para responder a cada una de estas actividades se usa:
- La observación de fenómenos.
- El análisis de datos históricos.
- La experimentación.
- La entrevista a operarios, supervisores y jefes para conocer su opinión y reacción.
- Muestreo de opinión.
- La película o video tape.

Aquí se pondrá en duda la utilidad de cada actividad, buscando: eliminar, combinar, ordenar y simplificar cualquier trabajo o actividad o dejar la como está.

Búsqueda de alternativas.

Se usa para desarrollar el método ideal, teniendo en cuenta el medio ambiente, la ergonomía, la aceptación del personal involucrado y la seguridad e higiene del trabajo.

Esta etapa cubre una búsqueda parcialmente fortuita, sistemática y directa, con base en las restricciones, volumen y criterios. Incluye acumulación de soluciones a partir de diversas fuentes: libros, manuales, conversaciones, experiencias, soluciones similares, conocimientos, etc.

Las decisiones y pasos al diseñar una instalación completa para producir un artículo o un servicio incluye:

- Decidir lo que debe hacerse para fabricar el producto o prestar el servicio.
- Buscar variedad de procedimientos de fabricación, ensamble o prestación de servicios.
- Establecer las operaciones o actividades que harán las máquinas y las personas o combinación de personas y máquinas.
- Diseñar las funciones de las personas al producir, transportar, medir, manipular, etc.
- Evaluar las competencias de las personas y la capacidad de las máquinas para hacer más eficiente el proceso total.
- Distribuir los lugares de trabajo y secuencia de eventos, basándose en sus propias ideas y otras fuentes de inspiración como libros, manuales, conversaciones, experiencias, soluciones similares, etc.

GRÁFICA 25. BÚSQUEDA DE ALTERNATIVAS

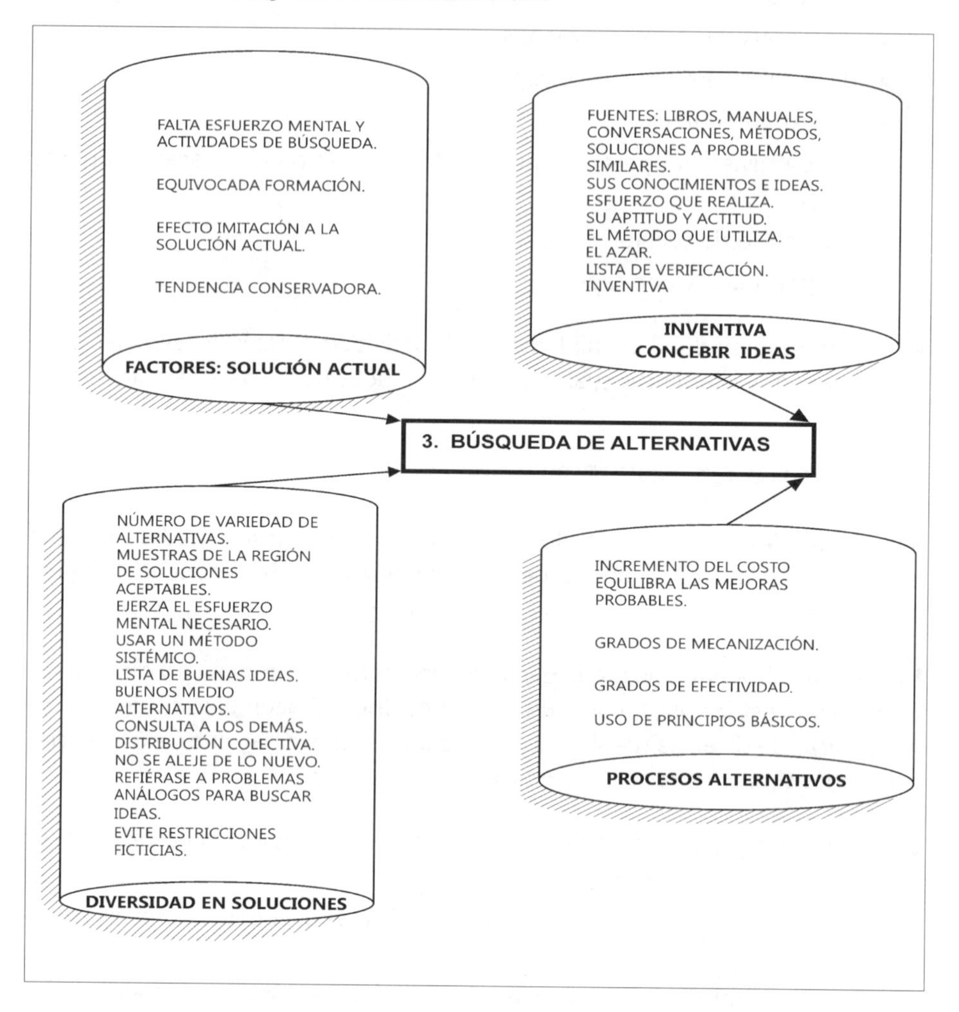

Las decisiones implican también, la selección de las alternativas de solución que comprenden:

- Una investigación.
- Una síntesis.
- Una creatividad.

La búsqueda, termina cuando su costo equilibre las mejoras (factor económico); ofrezca la mayor seguridad para las personas, los materiales y las instalaciones (factor seguridad); tenga la aceptación o acogida de operarios, directivos y dueños (factor psicológico); y su impacto en el medio ambiente no cause deterioro o inconformidad de la comunidad (factor ambiental)

GRÁFICA 26. EVOLUCIÓN DE ALTERNATIVAS

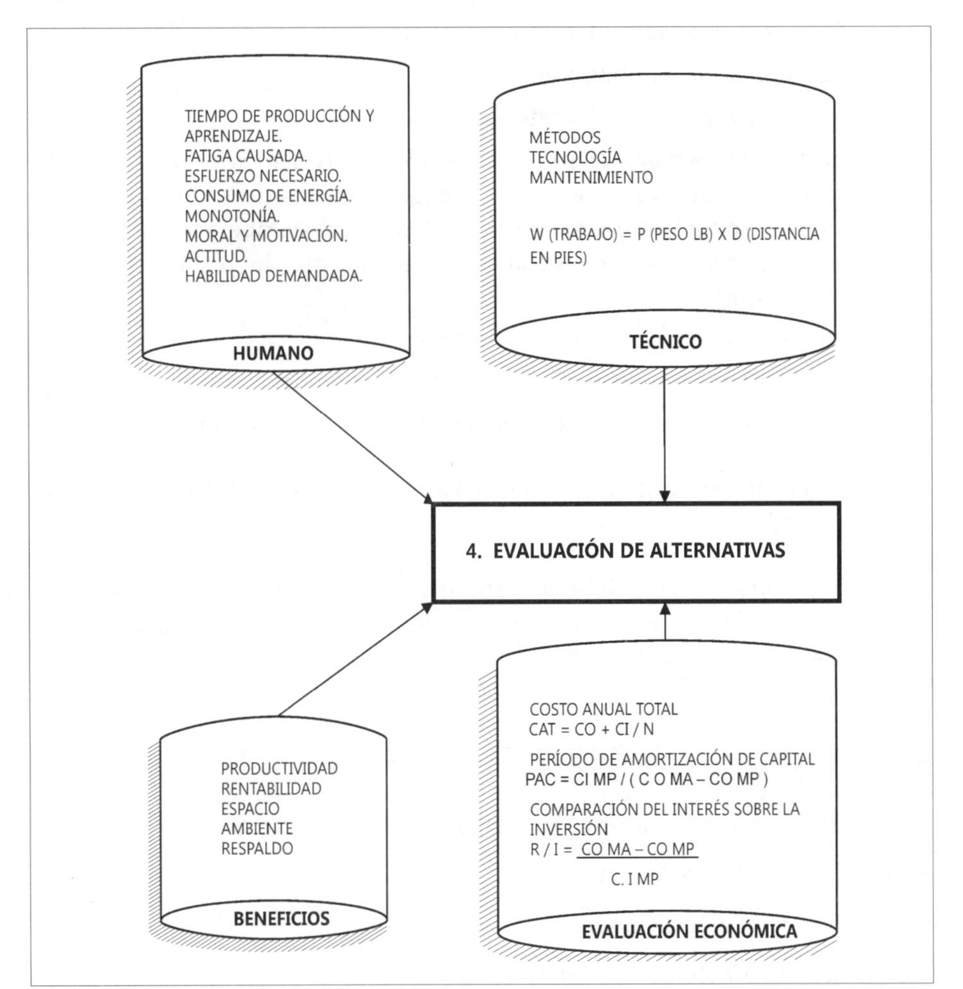

Evaluación de alternativas

Una vez terminada la actividad creativa del proceso solucionador de problemas, concentraremos nuestra atención en la evaluación de alternativas que consiste en medir cuantitativamente y/o cualitativamente cada una de las alternativas posibles, basadas en la selección de criterios como:

- Beneficios
- Satisfacción de clientes, trabajadores, dueños y comunidad.
- Seguridad de personas, materiales, máquinas e instalaciones.
- Tiempo de producción y aprendizaje.

- Mantenimiento del sistema.
- Esfuerzos necesarios, fatiga, monotonía.
- Actitud, moral y motivación.
- Efectividad de cada alternativa.
- Seleccionar la mejor alternativa, para lo cual hallamos su valor cuantitativo y/o cualitativo teniendo en cuenta los costos de la inversión (instalación, capital, entrenamiento, etc.); los costos de operación (costos del equipo, de la operación, de la mano de obra, etc.) mediante los siguientes métodos:
  - Comparación del costo anual total.
  - Comparación del período de amortización del capital.
  - Comparación del interés anual obtenido en la inversión.

Encontrar la solución que ofrezca los mayores beneficios, eficiencia, eficacia y productividad.

Para facilitar una decisión, debe presentarse el costo y los criterios intangibles, seleccionando alguno de los métodos existentes y cuyas versiones simplificadas se presentan a continuación:

COMPARACIÓN DEL COSTO ANUAL TOTAL

Consiste en convertir la inversión inicial a una base anual total.

Sea: CAT = Costo anual total

CO = Costo de operación

CI = Costo de la inversión inicial

N = Vida útil esperada

$$CAT = CO + CI/ N$$

Se calcula para cada alternativa y se selecciona la que ofrezca el menor CAT.

Ej. Supongamos que los datos de las diferentes alternativas sean los siguientes:

CUADRO 4. DATOS PARA EVALUACIÓN DE ALTERNATIVAS

Alternativas	Costo inversión Inicial CI	Costo de Operación (Anual) CO	Vida útil N	Costo Anual Total CAT
A (Actual)	$ 0	$ 38.000.oo	5 años	$ 38.000.oo
B (selección)	$ 16.000.oo	$ 31.000.oo	7 años	$ 33.286.oo
C	$ 11.000.oo	$ 34.000.oo	6 años	$ 35.833.oo

Comparación del período de amortización del capital

Consiste en calcular el período necesario para que los ahorros acumulados en costos de operación, sean iguales al costo inicial de operación. En otras palabras, el tiempo necesario para recuperar la inversión inicial.

Los ahorros son la diferencia entre los costos de operación de los métodos propuestos y el método actual.

Sea: PAC = Período de Amortización de Capital

$$PAC = \frac{CI\ (\text{método propuesto})}{CO\ (\text{método actual}) - CO\ (\text{método propuesto})}$$

Se selecciona la alternativa que tenga el período de amortización más corto.

Con los datos del ejemplo anterior, aplicando la fórmula, tenemos:

CUADRO 5. RESULTADOS COMPARACIÓN DEL PERÍODO DE AMORTIZACIÓN DEL CAPITAL

Alternativas	CI	CO	PAC
A	$ 0	$ 38.000.oo	$ 0
B (selección)	$ 16.000.oo	$ 38.000.oo	2.3 años
C	$ 11.000.oo	$ 34.000.oo	2.8 años

Comparación del interés anual obtenido en la inversión

Consiste en estimar el porcentaje de la inversión inicial que se recuperará anualmente a través de los ahorros en los costos de operación.

Sea: R/I = Interés Anual de la Inversión

$$R/I = \frac{CO.(\text{método actual}) - CO.(\text{método propuesto})}{C.I.\ (\text{método propuesto})}$$

Se selecciona la alternativa que resulte con interés mayor en la inversión.

CUADRO 6. RESULTADOS COMPARACIÓN DEL INTERÉS OBTENIDO EN LA INVERSIÓN

Alternativas	CI	CO	R/I
A	$ 0	$ 38.000.oo	
B (selección)	$ 16.000.oo	$ 31.000.oo	45% año
C	$ 11.000.oo	$ 34.000.oo	36% año

Debe anotarse que éstas son versiones muy simplificadas de los procedimientos mencionados. Para cálculos más precisos debe consultarse textos sobre economía de la ingeniería.

El proceso de evaluación de alternativas es difícil e impreciso por la dificultad de predecir el comportamiento humano, por el número tan grande de criterios que entran en juego y por la necesidad de hacer estimaciones mientras el método se encuentra aún en una fase conceptual.

Especificación de la solución preferida

La fase de especificación implica el delineamiento de las especificaciones, los atributos y características de funcionamiento y comportamiento del diseño seleccionado, con el propósito de comunicarlo en forma precisa y correcta y facilitar su instalación y control. Incluye:

- Inversión.
- Distribución.
- Procedimientos.
- Equipos.
- Materiales.

Comunicación a todos los responsables de la decisión, la creación, la administración, el mantenimiento, la transferencia tecnológica y la resistencia al cambio de la solución escogida.

Poner en marcha la solución propuesta, significa realmente, lograr los beneficios esperados en:

- Aumento de producción.
- Mejora de calidad.
- Reducción de costos.
- Disminución de fatiga del operario.
- Mayor seguridad para personas materiales, máquinas e instalaciones.

GRÁFICA 27. ESPECIFICACIÓN DE LA SOLUCIÓN PREFERIDA

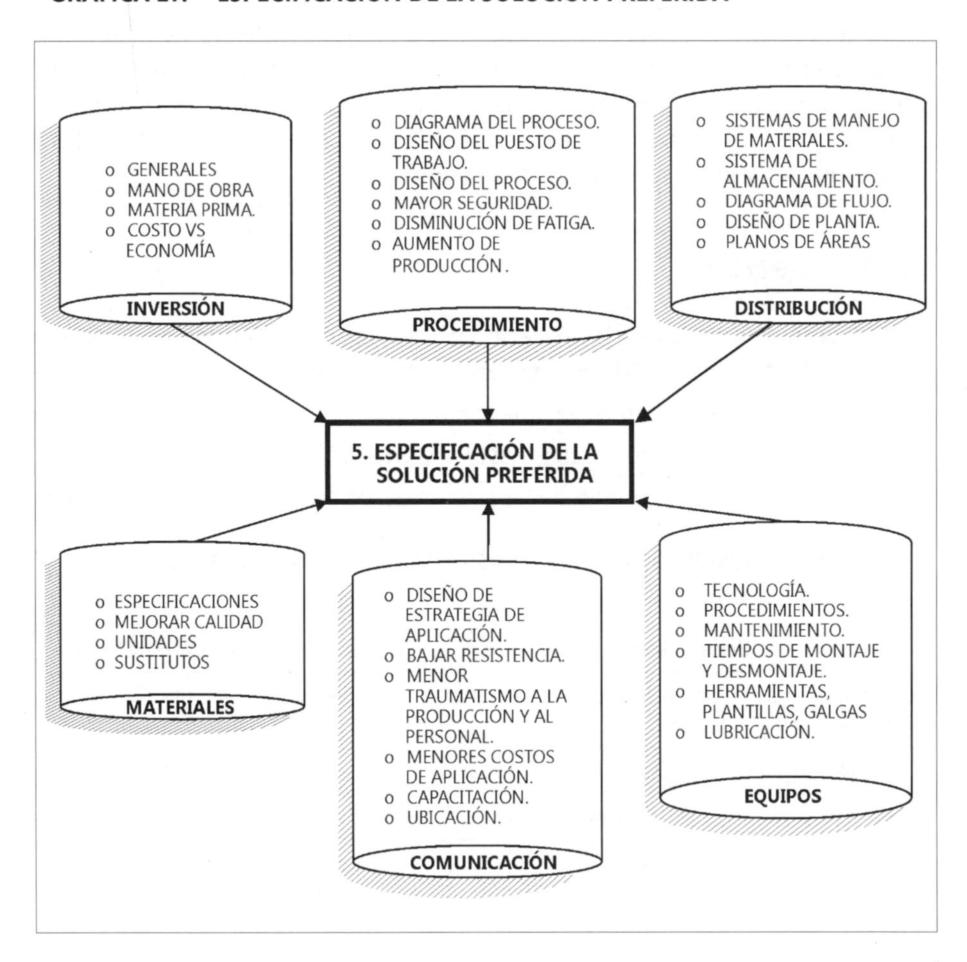

Estrategia de aplicación

En esta etapa se requiere el diseño de una estrategia de aplicación, de suerte que la puesta en marcha de la solución genere:

- La menor resistencia entre el personal.
- El menor traumatismo a la producción y al personal.
- Los menores costos de aplicación.

Para lograr estos puntos se debe:

- Informar a los interesados
- Seleccionar, formar, capacitar y remunerar a los operarios.
- Motivar e incentivar.

La estrategia consiste en evaluar las consecuencias del cambio, con el fin de tomar la decisión que beneficie a la mayor cantidad de personas y resolver lo que se hará con aquellas que no se involucren en el correspondiente cambio. Es preciso que haya que prepararlas para pensionarlas, o para que generen su propio empleo, ubicarlas en otras posiciones u otras empresas, indemnizarlas y despedirlas sin afectar su afiliación al patrono, etc.

Seguimiento

Es el proceso de monitorear la aplicación de la solución preferida de suerte que se ajuste a lo previsto, planeado y esperado: comprende:

- Control de la calidad de la aplicación.
- Control de los costos presupuestados en la aplicación.
- Previsión en la seguridad de las personas, los equipos y las instalaciones.

CUADRO 7. EJEMPLOS DE PROCESOS DE SOLUCIÓN DE PROBLEMAS

General Motor	General Electric Corporation
1. Determinar la naturaleza del problema por resolver o el objetivo a lograr.	1. Identificar los problemas
2. Estudiar las condiciones, causas y efectos relacionados	2. Definir el problema
3. Planear todas las soluciones posibles	3. Buscar los métodos de solución
4. Evaluar las soluciones posibles	4. Evaluar los métodos por medio del análisis, experimentación o prueba.

General Motor	General Electric Corporation
5. Recomendar la acción que debe tomarse	5. Seleccionar los métodos apropiados
6. Vigilar para asegurarse que la acción ha sido tomada	6. Realizar el diseño preliminar.
7. Comprobar los resultados para asegurarse que el problema ha sido eliminado	7. Interpretar los resultados preliminares
Este método asegura mejores resultados porque: • Pone énfasis en el análisis de problemas • Estimula la búsqueda de soluciones posibles • Asegura la evaluación de cada solución • Comprueba los resultados • Aseguran que es importante disponer de un método correcto para la solución de problemas de ingeniería.	8. Realizar el diseño final Aseguran que es importante disponer de un método correcto para la solución de problemas de ingeniería.

- Cuidar el ambiente holístico entre el personal de la organización, con el fin de ganar la aceptación del cambio y disminuir la resistencia.
- Evitar el no hacer daño al medio ambiente general.
- Controlar y disminuir los desperdicios de todos los factores utilizados en la aplicación de la solución.
- Otras fases de las actividades.
- Tiempo de producción y aprendizaje.
- Mantenimiento del sistema.
- Esfuerzos necesarios, fatiga, monotonía.
- Actitud, moral y motivación.

Simplificación del trabajo

Mejorar el método de trabajo

El problema consiste en hacer aquellos cambios que nos permitan un método mejor, más fácil y más seguro para realizar el trabajo. Existen varios caminos para abordar el problema del análisis de operaciones y su simplificación, así:

- Dibujar esquemáticamente el lugar de trabajo y hacer una relación de los detalles correspondientes a las distintas operaciones tal y como vienen realizándose actualmente.

- Relacionar detalladamente todas las partes o elementos que componen el método, como visión de conjunto.
- Registrar todos los materiales para estudiar la posibilidad de:
  - Sustituir.
  - Normalizar.
  - Especificar.
  - Utilizar (uso de residuos o desperdicios).
  - Cambiar.
- Reducir inventarios.
- Estudiar las manipulaciones de materiales para: Reducir manipulación. Acortar distancias. Recibo, almacenamiento y transporte adecuados.
- Controlar retrasos en entregas.
- Usar equipos de manejo de materiales.
- Flujo sin retrocesos.
- Distribuir adecuadamente la planta.

Escoger el trabajo para mejorar

Consiste en hacer un estudio sistemático para determinar el método de mayor economía para cada operación o tarea, considerando todos los factores que lo pueden afectar en los métodos, materiales, herramientas, equipos, instalaciones, movimientos. Para llevarlo a cabo, se debe levantar un cuadro o gráfico del trabajo, tal y como viene realizándose actualmente; comprende:

- Relación detallada de todas las partes o elementos que comprende el proceso en estudio, hasta tener una visión de conjunto.
- Registrar y estudiar cada operación del proceso, según criterios de selección escogidos.
- Preferir la operación con mayor efecto de mejoramiento:
- Cuellos de botella.
- Manipulación.
- Desperdicios.
- Diferencias en cargas de trabajo.
- Hacer aquello que agregue valor.
- Simplificar diseño.
- Orden y aseo.

- Disminuir fatiga.
- Estudiar cada detalle de las máquinas utilizadas:
- Preparación.
- Mantener máquina en buenas condiciones.
- Herramientas, plantillas y dispositivos de fijación
- Herramientas adecuadas, buen uso y corte.
- Cambio de herramientas y plantillas simples.
- Reducir tiempos perdidos.
- Mejorar preparación y sujeción de piezas.
- Usar deslizaderos, eyectores y dispositivos de sujeción.
- Planos herramientas y calibres.
- Inspección.
- Aumentar velocidad.
- Avance automático.
- Revisar cada operación con el fin de:
  - Eliminar las operaciones que no agreguen valor (alistar, guardar, trasportar)
  - Simplificar y normalizar las múltiples piezas.
  - Dividir la operación.
  - Combinar dos o más operaciones.
  - Cambiar orden de operaciones.
  - Previa posición de piezas y herramientas.
  - Reducir o eliminar interrupciones.
  - Combinar operación e inspección.
- Seleccionar el operario:
  - Calificarlo mental y físicamente.
- Eliminar fatiga cambiando ambiente, herramientas, plantillas y puestos de trabajo.
- Diferencias en cargas de trabajo.
- Utilizar ambas manos.
- Fatiga.
- Alistar el trabajo.
- Salarios e incentivos estimulantes.
- Capacitación.

- Observar las condiciones de trabajo:
  - Iluminación, calefacción, ventilación, ruido.
  - Adecuados w. c., descanso, recreación y vestuario.
  - Seguridad industrial.
  - Trabajo de pie o sentado.
  - Jornadas y períodos de descanso adecuados.
  - Orden y limpieza.

Descomponer el trabajo eliminando desperdicios y mejorando los métodos.

Seleccionar la operación especificando los movimientos, el tamaño, calibres, dimensiones, forma y calidad de los materiales, los equipos, herramientas, plantillas y dispositivos de fijación, distribución adecuada de las áreas de trabajo, diseño de los puestos de trabajo. Específicamente conviene estudiar:

- Movimientos.
- Transportes.
- Esperas.
- Inspecciones.
- Distribución y localización.
- Condiciones ambientales.
- Diagramas para material o para operario, actual y propuesto:
  - Descripción telegráfica de cada paso de la operación.
  - Medir la distancia recorrida y el tiempo empleado.
  - Seleccionar el diagrama y los símbolos apropiados.

Preguntar en cada detalle

La actitud interrogativa es la clave para todo el mejoramiento de métodos; se debe mantener una mente abierta.

- ¿Por qué se está haciendo el trabajo?
- ¿Por qué es necesario?
- ¿Qué sucede si no se hace?
- ¿Qué fin persigue?
- ¿Qué agrega al producto?

- ¿Dónde se está haciendo?
- ¿Dónde más podría hacerse?
- ¿Cuándo se hace?
- ¿Quién lo hace?
- ¿Quién más podría hacerlo?
- ¿Se requiere entrenamiento? ¿habilidad?
- ¿Cómo se hace? ¿hay otro método?

Componentes de la operación:

- ¿Los materiales se pueden sustituir, disminuir?...
- ¿Los transportes y manipulaciones se pueden disminuir, eliminar?...
- ¿En las máquinas se puede aumentar la velocidad, mejorar los sistemas de carga y descarga?....
- ¿Las operaciones se pueden hacer de otra manera, cambiar o eliminar?...
- ¿El puesto de trabajo se debe adaptar ergonómicamente?...
- ¿Las herramientas son adecuadas, se pueden cambiar o mejorar?...
- ¿El operario se debe capacitar?....

Desarrollo del método mejorado.

Describir las características o especificaciones con el propósito de eliminar todo trabajo innecesario, cambiar las operaciones o sus elementos, cambiar el orden de las operaciones, simplificar las operaciones necesarias, en cada uno de los siguientes factores:

- Mano de obra.
- Materiales.
- Métodos.
- Máquinas.
- Medio ambiente.
- Mantenimiento del sistema.
- Manufactura.
- Medios económicos.
- Mercados.
- Gráficos utilizados.

- Tablas.
- Análisis de movimientos.
- Ahorros por mano de obra, materiales, máquinas, espacio.....

Diseño de métodos.

- Utilizar los principios de economía de movimientos, recogiendo la información
- en tablas y gráficas para análisis del proceso a utilizar:
- Diagrama del proceso de ensamble.
- Diagrama de flujo o recorrido.
- Diagrama del proceso del grupo.
- Utilización y aprovechamiento del equipo:
- Gráficas de actividad múltiple.
- Diagrama hombre-máquina.
- Análisis de la operación:
- Diagrama de la operación.
- Diagrama mano izquierda mano derecha.
- Diagrama de precedencia.

Realizar la normalización de la operación, que consiste en hacer una anotación como registro permanente de la operación para vigilarla y mantenerla conforme a las especificaciones normalizadas para que puedan servir como base para los planes de incentivos salariales. Se debe entonces, describir los elementos de la operación, plano del producto, esquema del sitio de trabajo, la descripción de los materiales, máquinas, herramientas, depósitos, plantillas, recipientes y equipos de manejo de materiales, empaques y embalajes utilizados, así como los tiempos estándar de la operación y demás elementos auxiliares necesarios para realizar el trabajo.

Esta información, además de servir como registro permanente de la operación, se utiliza también como una hoja de instrucción para el entrenamiento y capacitación del operario. Se requiere una vigilancia estrecha y constante para mantener la norma y asegurar la producción y la calidad.

Las decisiones y pasos al diseñar una instalación completa para producir incluye:

- Decidir lo que debe hacerse para fabricar el producto.
- Establecer las operaciones que deben efectuarse con máquinas, con personas, o con una combinación de personas y máquinas.

CUADRO.8 FORMATO PARA MEJORA DE MÉTODOS:

IDENTIFICACIÓN DE LA OPERACIÓN:	FECHA: No. DE OPERACIÓN: No. DEL OBJETO: OBSERVADO POR:
NOMBRE DEL OBJETO: NOMBRE DEL OPERARIO:	
BOSQUEJO DEL PUESTO DE TRABAJO	A: ¿SE PUEDE ELIMINAR? B: ¿SE PUEDE CAMBIAR? C: ¿SE PUEDE CAMBIAR EL OR DEN DE EJECUCIÓN? D: ¿SE PUEDE SIMPLIFICAR?
ELEMENTOS DE LA OPERACIÓN	SUGERENCIAS DE MEJORA
1 2 3 4 5 6 7 8 9 10 11 12 13 14 15	

- Diseñar las funciones de las personas al transportar, medir, manipular, etc.
- Evaluar la competencia de la persona y la máquina, para hacer más eficiente el proceso total de manufactura. Un auxiliar en esta evaluación es el cuadro comparativo de competencias.

¿Por qué los negocios, la industria y el estado, no utilizan a las personas y a las máquinas de acuerdo con sus capacidades?

La respuesta está en un balance de costos para una situación dada.

CUADRO 9. HOJA DE NORMALIZACIÓN

OPERACIÓN:		FECHA:
DEPARTAMENTO		MINUTOS/ PIEZA:
OPERARIO:		TIEMPO ESTÁNDAR:
SUPERVISOR:		
ESQUEMA DEL SITIO DE TRABAJO:		Zona de aplicación:
		Descripción del equipo normalizado:
		Descripción de las condiciones de trabajo:
		Recorrido del material o suministro:
HERRAMIENTAS Y PLANTILLAS DISPONIBLES:		Máquina: Velocidad
		Herramienta Refrigerante
		Fijación
ELEMENTOS DE LA TAREA		ESQUEMA DEL PRODUCTO
1.	9.	
2.	10.	
3.	11.	
4.	12.	
5.	13.	
6.	14.	
7.	15.	
8.	16.	AUXILIARES:

Encontrar la forma más económica de realizar la operación es analizar el proceso a través de:

1). Análisis del proceso, mediante:

- Diagrama del proceso de ensamble
- Diagrama del recorrido o flujo
- Diagrama del proceso del grupo.

2). Utilización del equipo mediante:

- Diagrama de actividad
- Diagrama hombre-máquina.

3). Análisis de la operación mediante:
- Diagrama de la operación.
- Diagrama mano izquierda mano derecha.
- Estudio de micro movimientos.

Determinar el tiempo estándar

Mediante el estudio de tiempos por los métodos existentes, las consideraciones del ambiente de trabajo y las causas de retrasos y fatiga de los operarios. Concretamente comprende:
- Estudio de tiempos.
- Estudio de la producción, su programa y sus retrasos.
- Movimientos fundamentales.

Instrucción y capacitación al operario

Se deben conocer los propósitos y objetivos del programa, así como también los principios utilizados en los métodos de trabajo y éstos deben ser previamente comunicados a la dirección de la empresa.

Importancia de la productividad

Los cambios continuos deben estudiarse económica y prácticamente. Ellos son provocados por:
- Globalización del mercado y la manufactura.
- Esfuerzo de las organizaciones por ser más competitivas.
- Incremento en el uso de las computadoras.
- Expansión de las aplicaciones informáticas.

Una posibilidad para que una empresa o negocio crezca y aumente su rentabilidad es aumentar la productividad y ésta se refiere a:
- Aumento de la producción por hora-hombre.
- Disminución del tiempo por unidad.
- Economía del material consumido.

Las técnicas usadas para incrementar la productividad son:

- Métodos y diseño del trabajo.
- Economía de movimientos.
- Medida del trabajo.

La distribución de los costos, en la mayoría de las empresas oscila alrededor de los siguientes porcentajes:

- 20% como costo de mano de obra directa.
- 45% como costo de materiales
- 35% como costos generales.

Una comparación de esta distribución de costos con los de una organización, nos indicará las medidas a tomar para ajustarnos a tales indicadores. Las áreas de oportunidad en producción son:

- Métodos y diseño del trabajo.
- Medida del trabajo.
- Ergonomía y seguridad.
- Distribución en planta.
- Programación y control de la producción.
- Administración de salarios.
- Control de calidad.
- Inventarios y desperdicios.
- Costos y presupuestos.

En general, en producción se ordena y controla el material para producir, se determina la secuencia de las actividades, se investigan las herramientas y equipos adecuados para producir, se programa despacha y da seguimiento al trabajo, se asignan estándares de tiempo y pagos e incentivos y se satisface a los clientes con entregas oportunas y productos de calidad a costos justos.

El lenguaje y los símbolos en ingeniería de métodos

Para facilitar el estudio del proceso de fabricación, se usan diagramas simplificados que utilizan un lenguaje y unos símbolos que incluye varios conjuntos y estándares de elementos, a partir de los cuales es posible describir más rápida y efectivamente la secuencia de una actividad productiva. Dicho lenguaje y símbolos fueron propuestos y publicados por ASME (Sociedad Americana de Ingenieros Mecánicos), el 21 de mayo de 1947 y son hoy ampliamente utilizados, por su facilidad de comprensión.

Para entender y lograr un adecuado uso de estos símbolos, vamos a definir claramente cada uno de ellos:

Operación 

Tiene lugar cuando se cambia intencionalmente un objeto en cualquiera de sus características físicas o químicas, es montado o desmontado de otro objeto, o se arregla, o prepara para otra operación, transporte, inspección o almacenaje. También tiene lugar una operación cuando se da o recibe información o cuando se traza un plan o realiza un cálculo.

Transporte 

Ocurre cuando un objeto es movilizado de un lugar a otro, excepto cuando dichos traslados son parte de la operación o bien, son ocasionados por el operario en el punto de trabajo durante una operación o inspección.

Inspección 

Tiene lugar cuando un objeto es examinado para su identificación, medición, recuento o para clasificar o verificar su calidad conforme a una norma predeterminada en cualquiera de sus características.

Espera 

También, llamado demora o almacenamiento temporal, ocurre cuando las condiciones no permiten una inmediata realización de la acción siguiente.

Almacenamiento 

Tiene lugar cuando un objeto se mantiene y protege contra un traslado no autorizado.

Actividad combinada   

Pueden combinarse dos símbolos, cuando se ejecutan actividades en el mismo lugar de trabajo o cuando se realizan a la vez formando parte de una sola actividad.

Cuando se trata de operaciones no corrientes, fuera del campo de las definiciones, el cuadro siguiente servirá para efectuar las clasificaciones apropiadas:

CUADRO 10. RESUMEN DE SÍMBOLOS PARA REPRESENTAR UN TRABAJO

Clasificación	Resultado predominante
Operación	Produce o realiza
Transporte	Mueve
Inspección	Verifica
Demora	Retraso
Almacenamiento	Guarda

CUADRO 11. SÍMBOLOS QUE REPRESENTAN UN TRABAJO

CUADRO 12. LENGUAJE Y SÍMBOLOS DE INGENIERÍA DE MÉTODOS

	LONGITUD RELATIVA	ELEMENTOS	SÍMBOLOS	USOS
EL MÁSLARGO	A. ELEMENTOS DE UN PROCESO	OPERACIÓN		ESTUDIO DEL PROCESO DE FABRICACIÓN
		TRANSPORTE		
		INSPECCIÓN		
		DEMORA		
		ALMACENAMIENTO		
EL MÁS CORTO	B. LOS ELEMENTOS MÁS GRANDES DE UNA OPERACIÓN	ATENCIÓN A LA MÁQUINA.	S	ESTUDIO DE MOVIMIENTOS
		MÁQUINA EN OPERACIÓN	R	
	C. ELEMENTOS DE TAMAÑO INTERMEDIO DE UNA OPERACIÓN	TOMAR	G	
		COLOCAR	P	
		ENSAMBLAR	A	
		USAR	U	
		SOSTENER	H	
		ALCANZAR	R	
		SUJETAR	G	
		MOVER	M	
		UBICAR	P	
		SOLTAR	RL	
		GIRAR	T	
		RETARDAR	D	
		SOSTENER	H	

Otros símbolos

Se usan para realizar diagramas de procedimiento informativo y administrativo, donde se muestra el flujo de la documentación, junto con algunas acciones realizadas por las personas en cada unidad administrativa. La simbología básica de flujogramas es:

TERMINAL

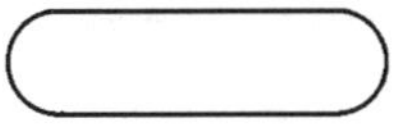

Indica la iniciación y terminación del proceso.

OPERACIÓN

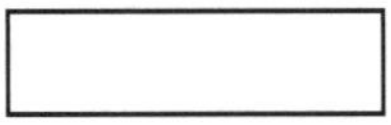

Representa la acción necesaria para transformar una información recibida o crear una nueva.

DECISIÓN O ALTERNATIVA

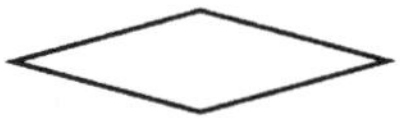

Indica un paso, dentro del flujo, en el cual son posibles caminos alternativos; la tendencia es suprimir cada vez más este símbolo ya que se considera que el proceso se diseña de manera correcta.

DOCUMENTO

Representa cualquier tipo de información que se utilice en el proceso y aporta información adicional para que se desarrolle el documento; si tiene copias se ubica el original en primera instancia, luego la primera copia, la segunda copia, etc., tal como se muestra en la gráfica. El nombre del documento debe aparecer en el símbolo y sólo se indican cuando aparecen por primera vez en el procedimiento para no recargar innecesariamente el cronograma.

CONECTOR DE RUTINA

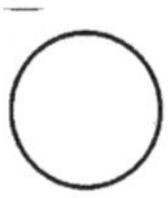

Es un símbolo que facilita la continuidad de la rutina de trabajo, evitando la intersección de líneas; la continuidad de un paso a otro se indica a través de letras o números insertos en el símbolo. Puede asumir dos formas:

De rutina. Representa una conexión o enlace en un paso final de página con otro paso dentro de la misma página. Lleva inserto un número.

De página. Representa una conexión o enlace en un paso de final de página con otro paso en el inicio de la página siguiente, donde continúa el flujograma. Lleva inserto una letra mayúscula.

CUADRO 13. SÍMBOLOS DE FLUJOGRAMAS

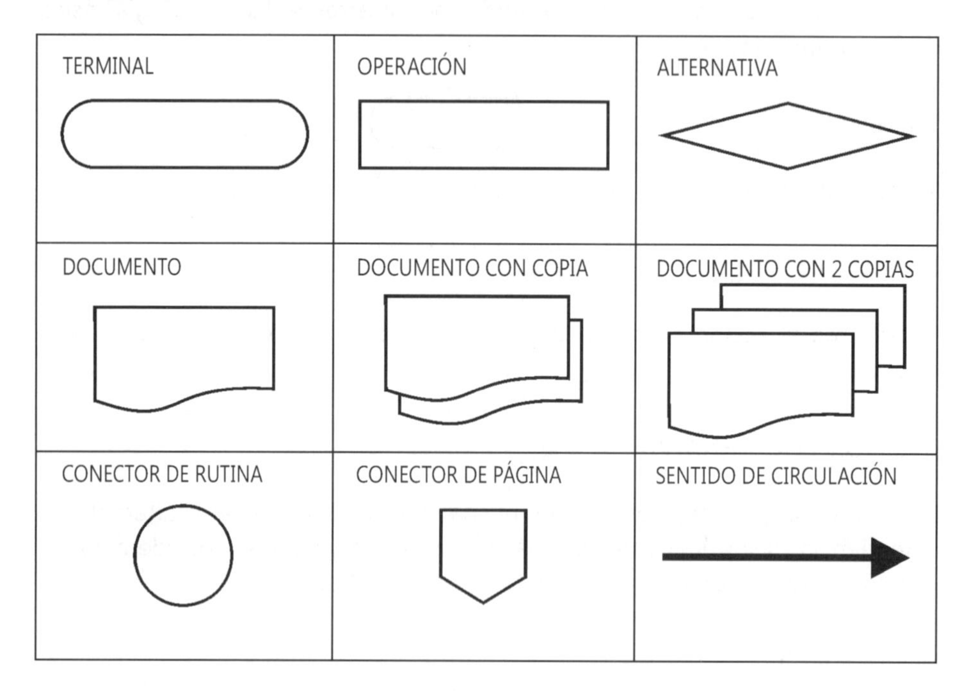

IDENTIFICACIÓN DE LAS OPERACIONES EN EL FLUJOGRAMA

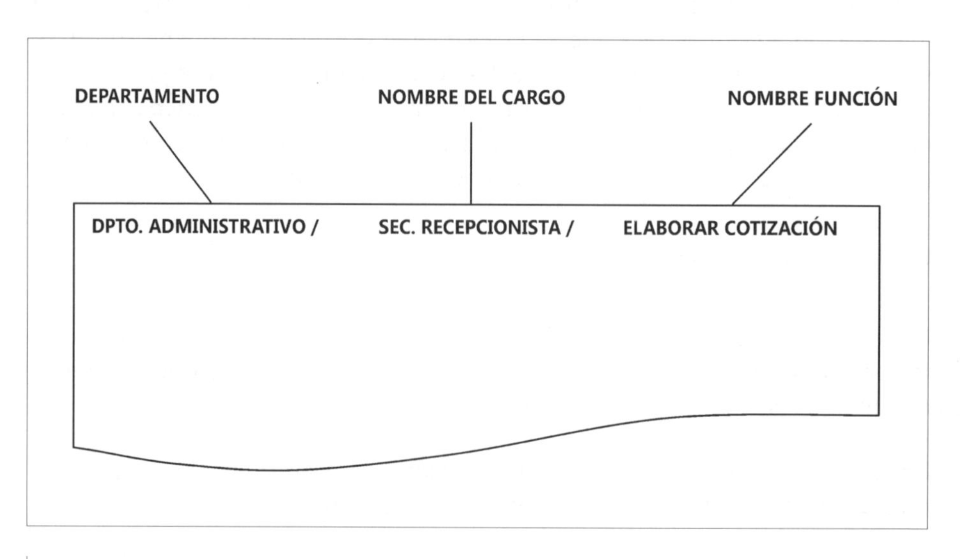

Medios de descripción y comunicación usados en ingeniería de métodos

Los principales medios de descripción y comunicación utilizados en ingeniería de métodos se resumen en la tabla siguiente donde se señala el tipo de diagrama y su principal utilidad como herramienta de mejoramiento continuo en los diferentes procesos de manufactura o prestación de servicios.

A continuación se trata, en forma más detallada, la elaboración de cada uno de los medios de descripción y comunicación de los procesos de manufactura o prestación de servicios.

Diagrama de precedencia

Es la representación cronológica de un sistema de producción donde ciertas tareas o elementos de trabajo preceden a otras. Sirve para identificar las restricciones de precedencia en el evento de modificar una secuencia de tareas o cuando se trata de equilibrar las asignaciones de trabajo a lo largo de una línea de producción.

GRÁFICA 28. DIAGRAMA DE PRECEDENCIA

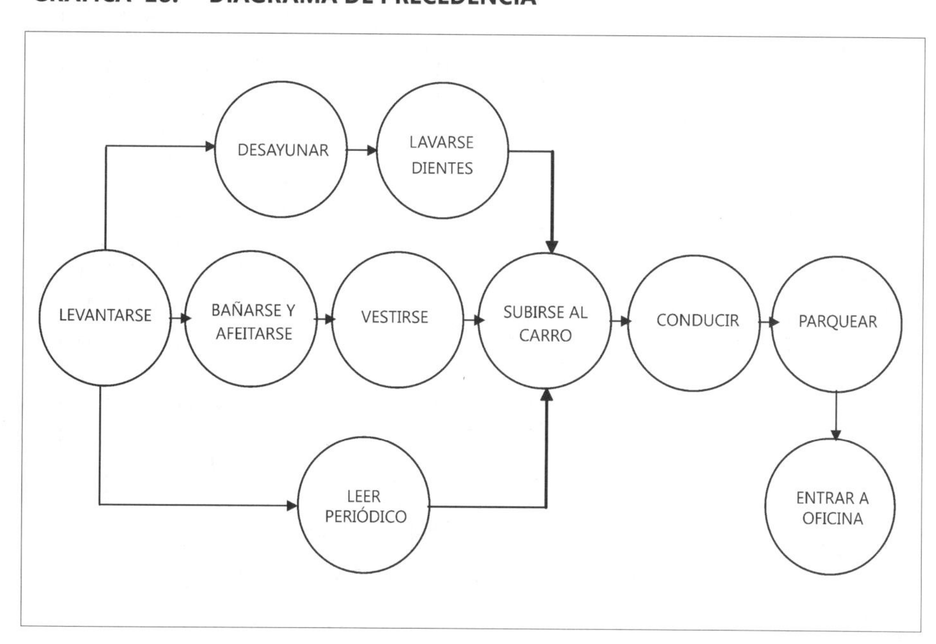

Este diagrama indica que una persona debe levantarse, antes de cualquier otra actividad; que debe bañarse y afeitarse antes de vestirse; debe vestirse antes de subirse al carro, pero puede desayunarse, cepillarse los dientes y leer el periódico en un tiempo cualquiera comprendido entre levantarse y subirse al carro.

Diagrama de flujo o recorrido

Es un plano del área de trabajo donde se indica la trayectoria seguida por el objeto o actividad que se estudia, acompañado de los símbolos de análisis de procesos de la ASME, colocados sobre el plano, para indicar lo que sucede al objeto o actividad a su paso por el proceso.

GRÁFICA 29. DIAGRAMA DE FLUJO O RECORRIDO

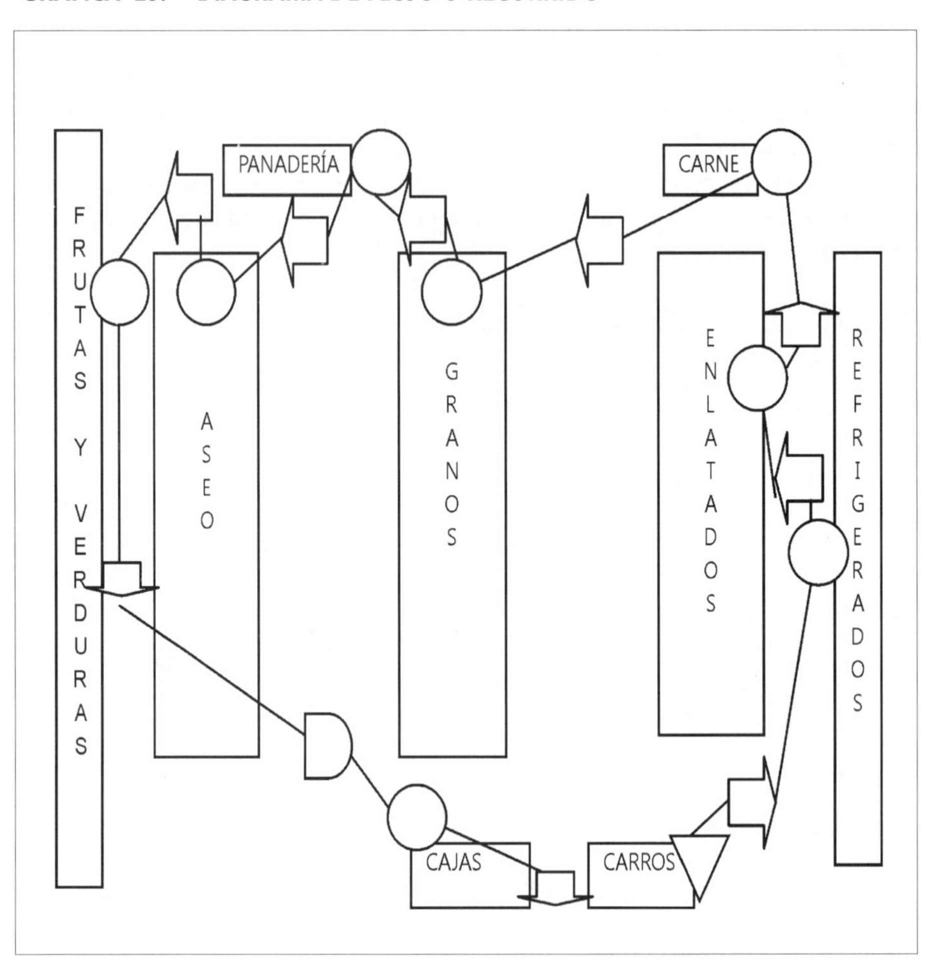

Este diagrama es particularmente útil, porque proporciona una vista global compacta y general, de un proceso en existencia o propuesto. Es un auxiliar valioso en el trabajo de distribución de la planta.

Su elaboración familiariza rápida y efectivamente al ingeniero con el proceso completo y el lugar donde se desarrolla cada actividad. Un estudio sistemático de todos los trabajos y movimientos sirve para proyectar cambios, ahorrar tiempo y espacio, utilizar herramientas adecuadas y colocar tanto las herramientas como los suministros en lugares apropiados.

Diagrama del proceso de ensamble

Es la representación gráfica de las fases que se desarrollan durante la ejecución de un trabajo o actividad. Muestra por lo general:

- Los materiales al entrar al proceso.
- Las operaciones que se realizan.
- El orden de ensamble.

Puede también, recoger la marcha del proceso en uno o varios departamentos, hasta quedar convertido en una unidad terminada. Se caracteriza porque proporciona una vista de ensamble general de todo el sistema de operaciones relacionadas con la manufactura del producto o la prestación de un servicio.

El estudio cuidadoso de esta gráfica sugiere sin duda, mejoras sustanciales:

1. Al proceso de operaciones:
    - Eliminar totalmente ciertas operaciones.
    - Combinar una operación con otra.
    - Simplificar algunas operaciones.
    - Eliminar retrasos en las operaciones.

2. En la distribución en planta:
    - Aprovechamiento del espacio.
    - Mejor recorrido para los materiales.

3. Planear y programar:
    - Las fechas oportunas de llegada de los materiales comprados.
    - Las fechas en que se deben terminar las piezas manufacturadas.
    - Las operaciones de ensamble intermedias.

GRÁFICA 30. DIAGRAMA DEL PROCESO DE ENSAMBLE

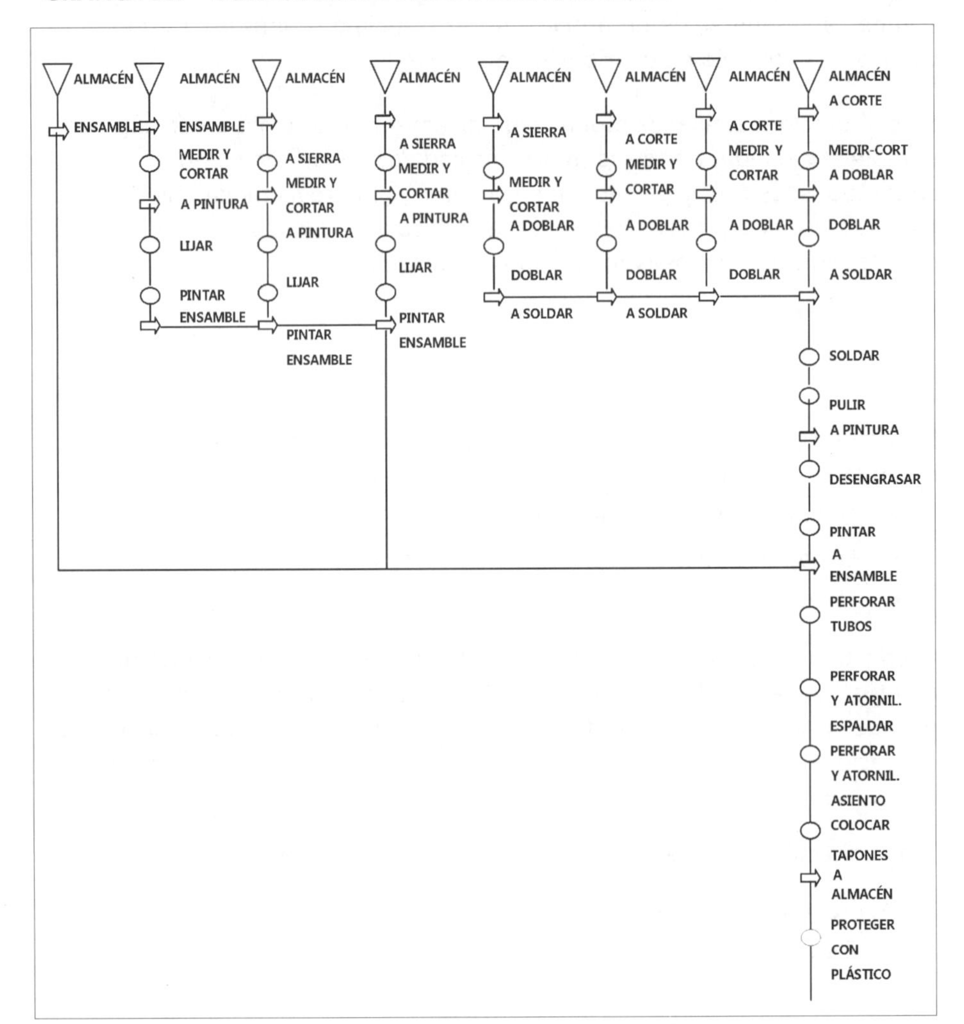

- Los despachos.
- Entrenamiento del nuevo personal técnico, de vendedores o del personal de mantenimiento.
- Demostración para clientes y visitantes.
- Auxiliar educativo para operarios.

La gráfica de operaciones del proceso puede mostrar, en el orden debido, las actividades de una persona o bien señalar las operaciones del material. Es decir puede ser, o del tipo de persona o del tipo de material. Pero no deben combinarse los dos.

Gráfica de actividad múltiple

Describe gráficamente las relaciones de dos o más secuencias simultáneas de actividades para la misma escala de tiempo. Cobra importancia especial en el análisis de tareas ejecutadas por una serie de personas trabajando en grupo y en operaciones donde el trabajo está desequilibrado, existiendo por consiguiente tiempo inactivo.

Una gráfica de este tipo que describe la actividad de un hombre y de la máquina o máquinas que atiende, se conoce con el nombre de gráfica hombre – máquina.

En algunas clases de trabajo, el operario y la máquina trabajan intermitentemente. Esto es, la máquina está en período de inactividad, mientras el operario la carga o la descarga; y el operario está inactivo, mientras la máquina está en funcionamiento. No sólo conviene eliminar el tiempo inactivo del operario, sino también mantener la máquina en su óptimo funcionamiento ya que una máquina inactiva puede costar tanto como otra en funcionamiento.

GRÁFICA 31. GRÁFICA HOMBRE – MÁQUINA.

HOMBRE	MÁQUINA
REPARANDO	REPARACIÓN
OCIOSO	TRABAJANDO
OCIOSO	TRABAJANDO
OCIOSO	TRABAJANDO

- CICLO = 4.0 MINUTOS
- UN OPERADOR
- UNA MÁQUINA

HOMBRE	MÁQUINA 1	MÁQUINA 2
R_1	REPARA	TRABAJA
R_2	REPARA	TRABAJA
OCIOSO	REPARA	TRABAJA
OCIOSO	REPARA	TRABAJA

- CICLO = 4.0 MINUTOS
- UN OPERADOR
- DOS MÁQUINA

HOMBRE	MÁQUINA 1	MÁQUINA 2	MÁQUINA 3
R_1	REPARA	TRABAJA OCIOSA	TRABAJA
R_2	TRABAJA	REPARA	TRABAJA OCIOSA
R_3	TRABAJA	TRABAJA	REPARA
R_4	OCIOSA	TRABAJA	REPARA

- CICLO = 4.5 MINUTOS
- UN OPERADOR
- TRES MÁQUINA

Lo primero debe que hacerse para eliminar los tiempos de espera del operario y de la máquina es anotar, con gran exactitud, cuando trabaja el operario y cuando la máquina, y lo que cada uno hace. La mayor parte de las operaciones incluyen cuatro fases principales: preparar, hacer, guardar y limpiar. Se usa para:

- Señalar las consecuencias al variar las asignaciones de maquinaria antes de decidir cuál es el número de máquinas que una persona puede operar.
- Hacer asignaciones de máquinas múltiples.
- Incrementar o hacer mantenimiento durante la porción del ciclo en el que esté operando y que no existan riesgos en caso de que el operador se retrase.
- Equilibrio entre las asignaciones de trabajo a los miembros de una cuadrilla, en relación adecuada con la duración de los tiempos de las tareas efectuadas por ellos. Balances de líneas de producción.

Gráfica Simo

Es otra versión de la gráfica de actividad múltiple que describe las actividades simultáneas de las manos de un trabajador durante una operación. Se construye así:

Se filma la operación estudiada, registrando con un reloj de alta velocidad simultáneamente el tiempo y las acciones del trabajador.

La película se inspecciona cuadro por cuadro, para determinar las acciones que se efectúan y su tiempo de ejecución.

Estos tiempos se grafican en la forma corriente.

La utilidad de la gráfica SIMO es:

- Descubrir las mejoras posibles de la operación en estudio, revelando cuando las manos están innecesariamente ociosas.
- Descubrir las secuencias óptimas de movimientos.
- Reducir el tiempo de ejecución cuando la operación es muy costosa y el volumen de producción es alto.
- Entrenar personal para inculcar la economía de los movimientos.

GRÁFICA 32. GRÁFICA SIMO

IDENTIFICACIÓN: OPERACIÓN:						
PIEZA: DPTO.:				OPE: FEC:		
ANÁLISIS:						
MANO IZQUIERDA	TPO. MIN.	SIMB.	ESC. TPO.	SÍMB	TPO. MIN.	MANO DERECHA

Tiene la desventaja de que consume mucho tiempo y dinero y por consiguiente su uso sólo se justifica en volúmenes de producción altos y operaciones muy costosas.

Gráfica mano izquierda mano derecha

Este diagrama es en realidad una gráfica SIMO, pero usando los elementos de tomar y colocar para aprovechar el conocimiento de tiempos previamente determinados, a fin de obtener el tiempo de la actividad. Su elaboración es como sigue:

- Dibujar un esquema del lugar de trabajo, indicando el contenido de los depósitos y la ubicación de las herramientas y materiales.
- Observar al operario y hacer un cuadro mental de sus movimientos, observando una mano cada vez.
- Anotar en una hoja los movimientos o elementos ejecutados por la mano izquierda, en la parte izquierda de la hoja y después hacer otro tanto con la mano derecha en la parte derecha de la hoja.

La gráfica de operación indica los movimientos detallados de las manos de un trabajador durante cada paso. Se pretende que la gráfica de operación indique los movimientos de la mano izquierda y la mano derecha durante la tarea de firmar una carta.

GRÁFICA 33. MANO IZQUIERDA MANO DERECHA

MANO IZQUIERDA	SIMB	SIMB	MANO DERECHA
TOMAR PAPEL	○	○	TOMAR LA PLUMA
SOSTENER PAPEL	○	○	COLOCARSE LA PLUMA
SOSTENER PAPEL	○	⇨	MOVER LA PLUMA HACIA EL PAPEL
PRESIONAR EL PAPEL	○	○	COLOCAR LA PLUMA PARA ESCRIBIR
PRESIONAR PAPEL	○	○	FIRMAR LA CARTA
SOLTAR EL PAPEL	○	⇨	MOVER LA PLUMA A UN LADO
MOVIMIENTO DE TRASLADO	⇨	○	COLOCAR LA PLUMA EN EL ESCRITORIO

Se usan los símbolos de "tomar G y colocar P". Sin embargo, los símbolos de tamaño mayor o menor son igualmente aceptados en esta gráfica.

Es útil como medio de comunicación del procedimiento de trabajo, para quienes deben juzgar, mejorar o usar el procedimiento. Es particularmente útil como un auxiliar en el adiestramiento de operarios y medio de comunicación del procedimiento de trabajo.

Diagrama de frecuencia de viajes

Cuando los productos pueden seguir trayectorias de flujo completamente diferentes como artículos en reparación, el trabajo en la cocina, en la lavandería, en la oficina, se requiere acondicionar el proceso en tal forma que sea óptimo para la mayoría de artículos, servicios o productos.

Este diagrama es útil para analizar la trayectoria de flujo en este tipo de operaciones, para estimar el recorrido total.

Por ejemplo para lograr una distribución aceptable en la cocina, es necesario observar un gran número de alimentos y menús diferentes. La distribución final se deberá basar en la mayoría de las observaciones. Se supone que el objetivo principal consiste en minimizar la distancia total recorrida. Para lograrlo, los componentes del sistema deben arreglarse de tal manera que la suma sea un mínimo.

Distancia total recorrida = f12 x d 12 + f13 x d13+ f14 x d14+.......+.fnm x dnm

en donde:

$$\Sigma f_{nm} \times d_{nm}$$

f_{nm} = frecuencia relativa de viajes efectuada entre dos centros de trabajo n y m.

d_{nm} = distancia entre los centros de trabajo n y m.

GRÁFICA 34. FRECUENCIA DE VIAJES

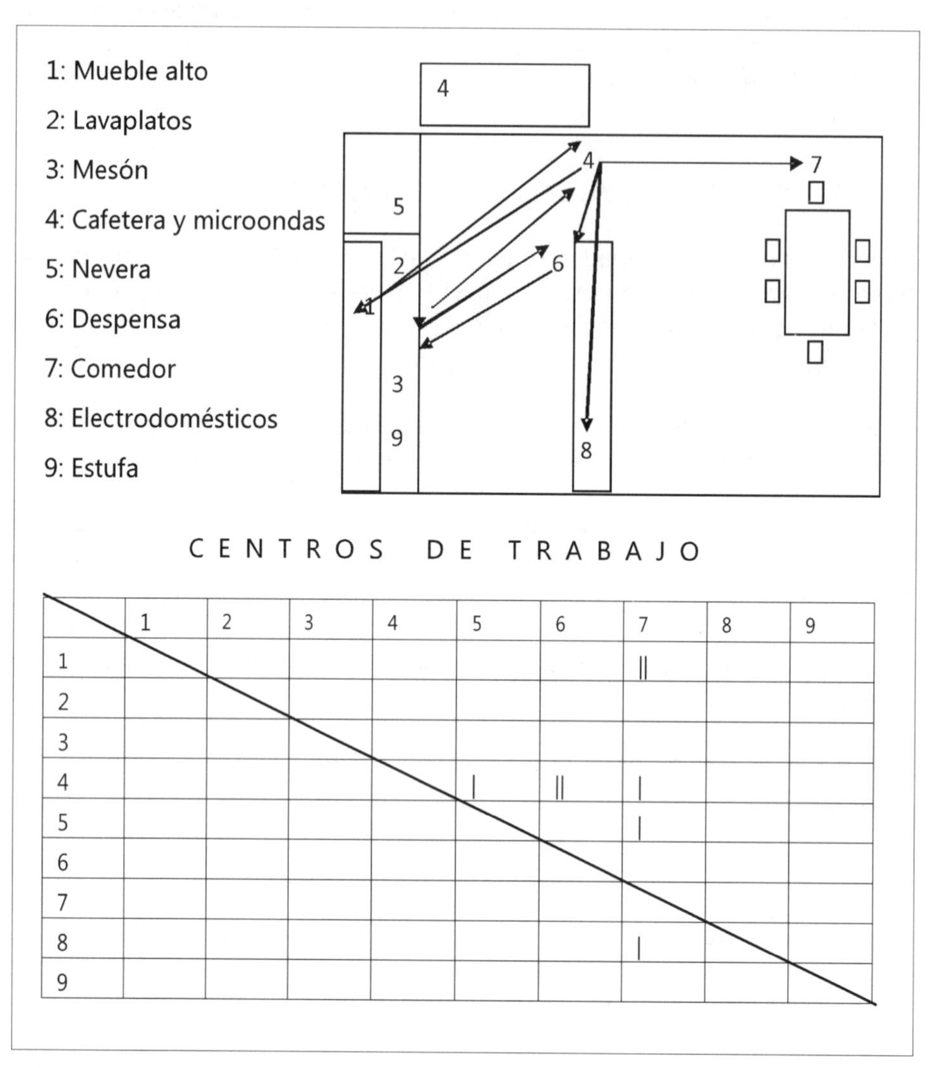

<table>
<tr><th></th><th>1</th><th>2</th><th>3</th><th>4</th><th>5</th><th>6</th><th>7</th><th>8</th><th>9</th></tr>
<tr><td>1</td><td></td><td></td><td></td><td></td><td></td><td></td><td>||</td><td></td><td></td></tr>
<tr><td>2</td><td></td><td></td><td></td><td></td><td></td><td></td><td></td><td></td><td></td></tr>
<tr><td>3</td><td></td><td></td><td></td><td></td><td></td><td></td><td></td><td></td><td></td></tr>
<tr><td>4</td><td></td><td></td><td></td><td></td><td>|</td><td>||</td><td>|</td><td></td><td></td></tr>
<tr><td>5</td><td></td><td></td><td></td><td></td><td></td><td></td><td>|</td><td></td><td></td></tr>
<tr><td>6</td><td></td><td></td><td></td><td></td><td></td><td></td><td></td><td></td><td></td></tr>
<tr><td>7</td><td></td><td></td><td></td><td></td><td></td><td></td><td></td><td></td><td></td></tr>
<tr><td>8</td><td></td><td></td><td></td><td></td><td></td><td></td><td>|</td><td></td><td></td></tr>
<tr><td>9</td><td></td><td></td><td></td><td></td><td></td><td></td><td></td><td></td><td></td></tr>
</table>

Flujogramas

Los flujogramas son ideales para representar procesos complejos que exigen una serie de decisiones, con diversas acciones como resultado de cada decisión; describen individualmente los procedimientos para diversas porciones del sistema.

Los diagramas de flujo, no son sólo valiosos en los manuales, sino también una herramienta técnica muy importante para guiar la ejecución del proceso en forma ordenada y esquemática, mostrando la secuencia lógica y dinámica del trabajo; permitiendo conocer y comprender las unidades administrativas y cargos que intervienen en ella y el proceso que se describe a través de documentos e instructivos.

Al escribir sobre el procedimiento general de la empresa, resulta útil organizar las diversas etapas en un diagrama de flujo antes de iniciar la elaboración y redacción de los manuales de funciones y de procedimientos. Así mismo, se elaboran diagramas de operación o curso gramas analíticos donde se indica la secuencia de las actividades mediante su simbología normalizada y el tiempo de cada una de ellas.

OBJETIVOS DE LOS FLUJOGRAMAS

- Identificar los aspectos más relevantes del trabajo.
- Facilitar el análisis y mejoramiento de los procesos.
- Mostrar la dinámica del trabajo y los responsables del mismo.
- Evitar la distorsión de las prácticas de la empresa.
- Proveer elementos que faciliten el control del trabajo.
- Normalizar la representación gráfica de los procesos para facilitar la ubicación de puestos y procedimientos de trabajo para la elaboración de los manuales de funciones y procedimientos.

VENTAJAS

- Describe en forma sencilla el paso a paso de cada proceso y complementa la descripción literal, facilitando su consulta.
- Verifica el desarrollo del proceso y representa objetivamente aquello que ocurre en la rutina normal del trabajo.
- Facilita la visualización rápida e integrada de un proceso, la secuencia, el examen de los pasos y las responsabilidades de los ejecutantes.
- Identifica rápida y fácilmente los puntos débiles y fuertes del proceso.
- Describe cualquier proceso desde el más simple hasta el más complejo.
- Facilita la visualización de la distribución del trabajo en y entre dependencias.

GRÁFICA 35. DIAGRAMA DE FLUJO DEL PROCESO

IDENTIFICACIÓN EMPRESA:		
ACTIVIDADES:		
OPERADOR:	ANALÍTICO	
MÉTODO ACTUAL	PROPUESTO	
TIPO: OBRERO	MATERIAL	MÁQUINA
COMENTARIOS:		

RESUMEN				
ACTIVIDAD	SIMB	ACTUAL	PROPUESTO	AHORROS
OPERACIÓN				
TRANSPORTE				
INSPECCIÓN				
ALMACENAJE				
DEMORAS				
TIEMPO MIN.				
DISTANCIA M.				
COSTO				

DESCRIPCIÓN DE ACTIVIDADES	SÍMBOLOS					TIEMPO (MINUTOS)	DISTANCIA (METROS)	MEJORAS				
								COMB	SIMPLF	DEJAR	CAM	COMENTARIOS

Diagrama del proceso del grupo

Es similar al diagrama del proceso individual, pero dispuesto de manera que permita un análisis minucioso de las actividades de un grupo que trabaja conjuntamente, o sea que cada uno de los miembros participa en la actividad de grupo. Es como el caso en el que ya no es un trabajador que atiende varias máquinas, sino que, una máquina es atendida por varios trabajadores.

Su objetivo es el estudio del grupo de personas con el fin de analizar las actividades de él y luego componer la cuadrilla de forma que se reduzcan los tiempos de espera y los retrasos.

Para su construcción, en la misma fila, se indican las operaciones ejecutadas simultáneamente por los miembros de la cuadrilla, desarrollando los siguientes pasos:

1. Utilizar los mismos símbolos que los del diagrama del proceso.
2. Cubrir el ciclo o recorrido seguido por cada miembro de la cuadrilla, presentando los diagramas hermanos uno al lado del otro cuidando, que las actividades simultáneas queden representadas en la misma fila.
3. Se numeran las actividades en los símbolos y la descripción se anota en la columna de la derecha.
4. El diagrama debe cubrir un ciclo completo del miembro que ejecuta mayor número de fases.
5. Registrar las actividades simultáneas en una misma fila, aunque la operación ejecutada por un miembro de la cuadrilla prosiga mientras otro realiza más de una operación. En este caso, se repite el símbolo en cada fase de la operación que precisa de una cantidad mayor de fases.
6. Se pueden omitir en el diagrama aquellos elementos que no se presentan en cada ciclo.
7. En los resúmenes de cuadrillas se usan las fases por unidad antes y después del estudio. Esta relación se obtiene, dividiendo el número total de fases expuestas en el diagrama por el número total de unidades manipuladas en los ciclos representados.
8. Se deben construir varios ciclos, porque de un ciclo a otro puede variar la cantidad de tiempo de espera. El diagrama debe reflejar la condición media.

GRÁFICA 36. DIAGRAMA DEL PROCESO DEL GRUPO

OPERACIÓN: ____		DÍA: ____ MES ____ AÑO ____
TEMA ____		ACTUAL
DEPARTAMENTO: ____		PROPUESTO
DIAGRAMADO POR: ____		HOJA: ____ DE: ____
	N°	N° DEL GRUPO PASOS DESCRIPCIÓN

OBSERVACIONES

RESUMEN			
	ACTUAL	PROPUESTO	REDUCCIÓN
TOTAL UNIDA			
PASOS POR UNIDADES			

Al analizar un diagrama del proceso del grupo se deben seguir cuatro pasos:

1. Formular a la totalidad del proceso las seis preguntas: ¿Qué? ¿Por qué? ¿Quién? ¿Cuándo? ¿Dónde? ¿Cómo?
2. Formular las mismas preguntas a cada inspección y operación.
3. Estudiar los almacenamientos y transportes que quedan.
4. Formular la manera como debe estar compuesta la cuadrilla para reducir los tiempos de espera. Para equilibrar la cuadrilla se debe rebajar actividad al operario que tiene la mayor cantidad y agregársela al que tiene la mayor cantidad de esperas.

Gráfica Gantt

Es un instrumento efectivo de planificación y programación para operaciones de producción que impliquen un mínimo de interrelaciones. Consta de una gráfica de doble entrada donde las filas representan máquinas, personas, departamentos o recursos que sean necesarios para cumplir una tarea. Las columnas definen los per{iodos en horas, días, semanas o meses.

Ejemplo:

ORDEN DE TRABAJO	ACTIVIDAD	LUNES	MARTES	MIÉRCOLES	JUEVES	VIERNES
001	ACTIVIDAD 1					
002	ACTIVIDAD 2					
003	ACTIVIDAD 3					
004	ACTIVIDAD 4					
005	ACTIVIDAD 5					

CUADRO 14. RESUMEN DE LOS MEDIOS DE DESCRIPCIÓN DE PROCESOS

Nº	TIPO DE DIAGRAMA	PRINCIPAL APLICACIÓN
1	PRECEDENCIA: REPRESENTACIÓN CRONOLÓGICA DE UNA ACTIVIDAD O TRABAJO.	SIRVE PARA IDENTIFICAR RESTRICCIONES DE PRECEDENCIA EN EL EVENTO DE MODIFICAR O EQUILIBRAR UNA SECUENCIA DE TAREAS.
2	FLUJO O RECORRIDO: PLANO Y TRAYECTORIA SEGUIDA POR UN PRODUCTO, ACTIVIDAD O PERSONA.	SE UTILIZA PARA HACER MEJORAS EN LA DISTRIBUCIÓN EN PLANTA, DISMINUYENDO LOS FLUJOS O RECORRIDOS.
3	PROCESO DE ENSAMBLE: MUESTRA LA ENTRADA, OPERACIONES Y ENSAMBLE.	PROPORCIONA UNA VISTA ORDENADA DEL ENSAMBLE GENERAL DE TODO EL SISTEMA DE OPERACIONES DEL MATERIAL O DE LAS ACTIVIDADES DE UNA PERSONA.
4	ACTIVIDAD MÚLTIPLE: DESCRIBE RELACIONES DE DOS O MÁS SECUENCIAS SIMULTÁNEAS DE ACTIVIDADES PARA LA MISMA ESCALA DE TIEMPO.	SE USA PARA: ELIMINAR LOS TIEMPOS DE ESPERA TANTO DEL OPERARIO COMO DE LA MÁQUINA, ASIGNAR MÁQUINAS, HACER MANTENIMIENTOS EN TIEMPOS DE ESPERA Y EQUILIBRAR PROCESOS.
5	GRÁFICA SIMO: DESCRIBE LAS ACTIVIDADES SIMULTÁNEAS DE LAS MANOS DE UN TRABAJADOR DURANTE UNA OPERACIÓN.	SIRVE PARA: ERLIMINAR MANIPULACIONES, DESCUBRIR SECUENCIAS ÓPTIMAS DE MOVIMIENTOS, REDUCIR TIEMPOS DE EJECUCIÓN Y ENTRENAR PERSONAL.
6	MANO IZQUIERDA Y DERECHA: REGISTRA LOS MOVIMIENTOS INDEPENDIENTES DE LAS MANOS.	ÚTIL COMO MEDIO DE COMUNICACIÓN DE PROCESOS Y AUXILIAR EN EL ENTRENAMIENTO DE PERSONAL.
7	FRECUENCIA DE VIAJES: MAPA Y FRECUENCIA DE PUNTOS DE TRABAJO DE UNA ACTIVIDAD.	USADO PARA ACONDICIONAR PROCESOS EN ARTÍCULOS Y SERVICIOS ANALIZANDO EL FLUJO DE OPERACIONES PARA CONOCER EL RECORRIDO TOTAL.
8	FLUJO – GRAMAS: PROCESOS DE ENSAMBLE COMPLEJOS INDIVIDUALES.	ÚTILES EN LA ELABORACIÓN DE LOS MANUALES DE FUNCIONES Y DE PROCEDIMIENTOS.
9	PROCESO DEL GRUPO: ACTIVIDADES DE UN GRUPO QUE TRABAJA CONJUNTAMENTE.	SE USA PARA EL ANÁLISIS DEL TRABAJO DE CUADRILLAS PARA ORDENARLOS DE FORMA QUE SE REDUZCAN LOS RETRASOS Y TIEMPOS DE ESPERA.
10	GRÁFICA GANTT: GRÁFICA DE DOBLE ENTRADA, LAS FILAS SON MÁQUINAS, PERSONAS, DPTOS O RECURSOS Y LAS COLUMNAS SON TIEMPO.	SIRVE PARA PLANEAR Y PROGRAMAR LAS OPERACIONES O ACTIVIDADES NECESARIAS PARA ATENDER COMPROMISOS OPORTUNAMENTE.
11	PERT: RED DE ACTIVIDADES SECUENCIALES.	SE USA PARA PLANEAR, ACOMPAÑAR Y EVALUAR EL AVANCE DE LOS PROGRAMAS Y PROYECTOS EN RELACIÓN CON LOS ESTÁNDARES DE TIEMPO PREDETERMINADOS, DE SUERTE QUE NO SE PRESENTEN RETRASOS.
12	CAUSA – EFECTO:	SE USA PARA IDENTIFICAR LAS CAUSAS SOBRESALIENTES QUE GENERAN DETERMINADOS EFECTOS EN UN PROCESO.

Se dibuja una línea horizontal sobre la cual se muestran los pedidos u órdenes programadas para su proceso en el recurso correspondiente. Una segunda línea, que representa el progreso en comparación con el programa, se dibuja a medida que se avanza.

Pert (Projet Evaluation Review Technique)

Es un método usado para planificar, acompañar y evaluar el avance de los programas y los proyectos en relación con los estándares de tiempo predeterminados, integrando adecuadamente las actividades para lograr la ejecución del proyecto sin retrasos. Además de ser una herramienta de planeación, sirve para localizar los desvíos y aplicar las acciones correctivas necesarias.

EJEMPLO

Supongamos que el proyecto consiste en el lanzamiento de un nuevo producto, el cual tiene los eventos, actividades, secuencia y tiempo en días. El procedimiento en la programación PER es el siguiente:

1) Diagrama de flechas. Representa los pasos secuenciales para ejecutar el proyecto. Consta de:

Eventos o puntos de decisión representados por

- Actividades que corresponden a los esfuerzos físicos o mentales y se representa por

t (i, j)

- Relaciones, que señala la secuencia de eventos y actividades en la red.

2) Estimar la duración t (i, j) de cada actividad.

3) Calcular los tiempos, lo más pronto posible, de empezar t(i) y terminar t(j) una actividad;

$$t(j) = max(t(i) + t(i, J)) \text{ cuando } j = 1, 2, 3, ..., n$$

Cuadro de datos para la elaboración del PER.

EVENTO	ACTIVIDAD	PRECEDENCIA	TIEMPO EN DÍAS t(i,j)	t(j)	t*	Hs	Ha
1	Proyecto del nuevo producto	-	5	5	5	0	
2	Definición de componentes	1	20	25	25	0	
3	Proyecto de componentes	2	25	50	50	0	
4	Aprobación final	3	13	63	63	0	
5	Proyecto de producción	2	4	29	45	16	12
6	Adquisición de maquinaria	5	20	49	65	16	
7	Instalación de máquinas	2	10	35	63	28	18
8	Admisión de personal	4 y 7	30	65	65	0	
9	Entrenamiento de personal	6 y 8	1	66	66	0	
10	Pruebas de los prototipos	9	5	71	71	0	
11	Comienzo de la producción	10	8	79	79	0	

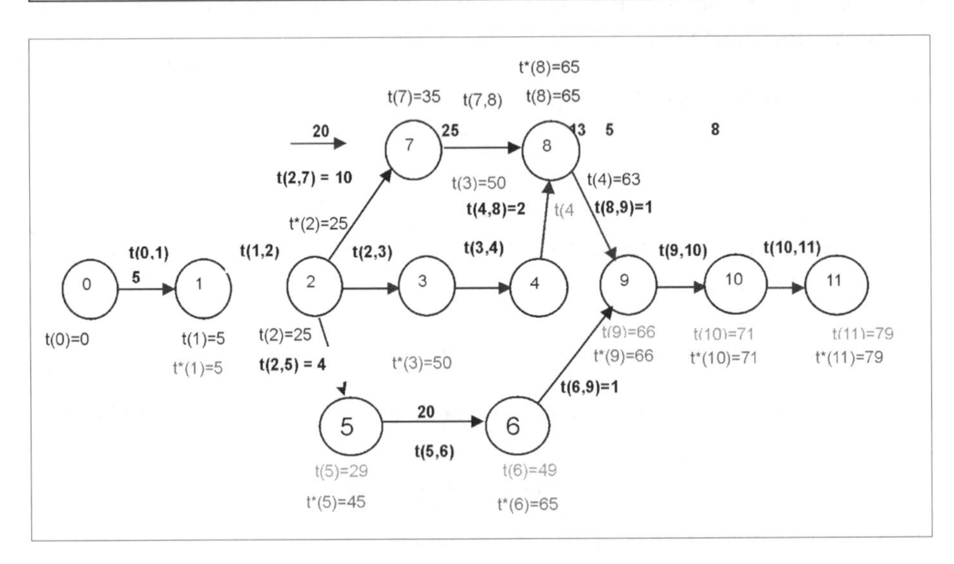

4) Calcular el tiempo lo más tarde posible (t*) de terminar y comenzar una actividad, para evitar que un retraso, en cualquier actividad, pueda atrasar la última actividad. El cálculo se hace desde el final del proyecto hacia el comienzo, restando el tiempo de cada actividad. En el primero y en el último evento, el tiempo lo más pronto posible es igual que el más tarde posible.

En resumen el cómputo del tiempo lo más tarde permisible de una actividad se obtiene eligiendo el mínimo resultado de las diferencias entre las actividades posteriores y las duraciones correspondientes a las actividades que llevan a éstas.

$$\mathbf{t^*(i) = \min(t^*(j) - t(i, j)) \quad cuando\ i = 1, 2, 3, \ldots\ldots, (n-1)}$$

5) Cálculo de holguras. Es la flexibilidad de cuándo se puede empezar o terminar una actividad que se vuelve crítica. Existen dos clases de holgura:
   - Holgura del suceso. Es la diferencia entre el tiempo lo más tarde permisible y el tiempo lo más pronto posible del mismo suceso.

     $Hs = t^*(j) - t(j)$
   - Holgura de la actividad. Es el tiempo lo más tarde permisible del suceso final para terminar una actividad, menos el tiempo lo más pronto posible del suceso inicial de la misma para comenzar y menos la duración de la actividad mencionada.

     $Ha = t^*(j) - t(i) - t(i, j)$

6) *Cálculo del camino crítico.* Es la unión de todas las actividades cuyas holguras de actividad son cero.

Diagrama causa efecto, espina de pescado o ishikawa

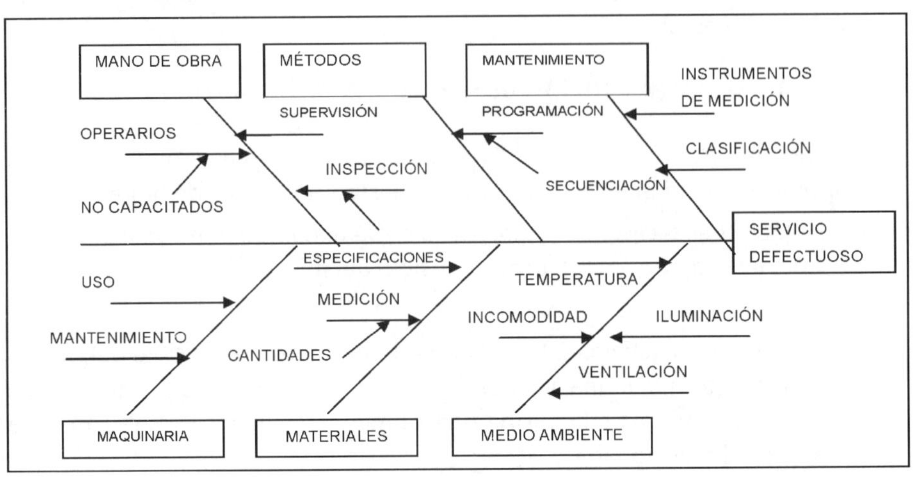

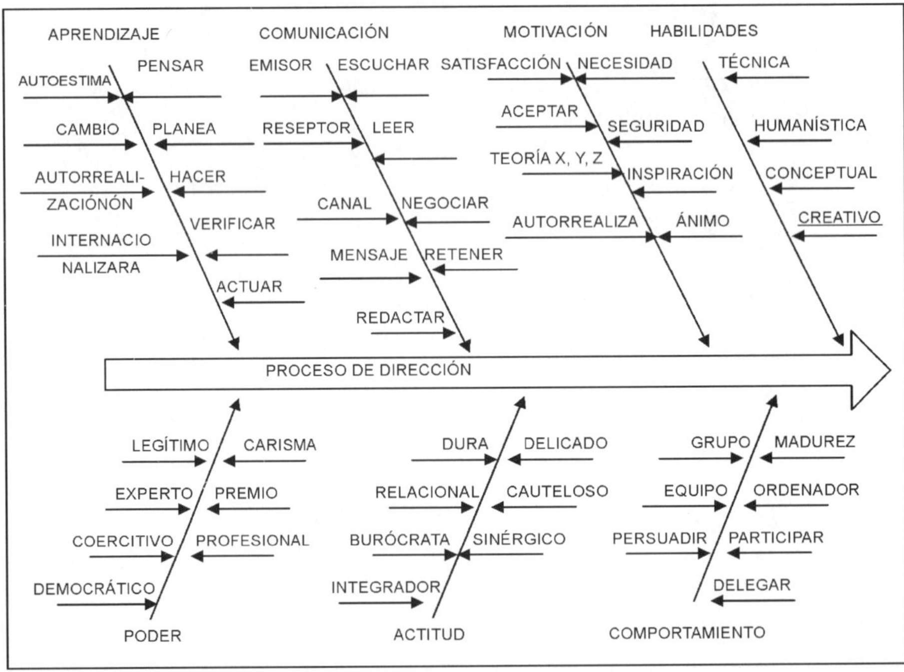

Este diagrama procura, a partir de los efectos (síntomas de los problemas), identificar todas las causas posibles que provocan esos efectos. Su utilidad es identificar las causas que generan los efectos. La metodología se basa en diferentes categorías de problemas, cada una se analiza según la incidencia de diferentes factores que pueden afectarlas.

RESISTENCIA AL CAMBIO Y RECOMENDACIONES PARA EVITARLA

Las innovaciones tecnológicas afectan a poblaciones enteras y, frecuentemente origina grandes problemas económicos y sociales. No obstante la importancia que estos cambios puedan tener cuando ocurren, es poco comparada con los cambios diarios en el producto, proceso, materiales, equipo, mantenimiento, procedimientos, etc., con los que el ingeniero se enfrenta constantemente; en consecuencia, debe estar preparado para saberlos manejar ya que afectan tanto a las personas con autoridad, como a las que no tienen ni voz ni voto para aceptar o rechazar una nueva tecnología, un nuevo método o un nuevo material.

El cuadro siguiente muestra algunas de las causas de resistencia al cambio y las recomendaciones para evitarlas.

CUADRO 15. RESISTENCIA AL CAMBIO Y SU TRATAMIENTO

CAUSAS DE RESISTENCIA AL CAMBIO	RECOMENDACIONES PARA EVITARLAS
1. INERCIA, ESPECIALMENTE CUANDO EL CAMBIO ES REPENTINO O RADICAL.	EXPLICAR CONVENIENCIAS Y NECESIDAD DEL CAMBIO.
2. INCERTIDUMBRE POR LAS BONDADES DEL CAMBIO.	EXPLICAR DETALLADAMENTE LA NATURALEZA DEL CAMBIO.
3. IGNORANCIA DE LA NECESIDAD O PROPÓSITO DEL CAMBIO.	ESTIMULAR LA PARTICIPACIÓN O CUANDO MENOS LA SENSACIÓN DE PARTICIPACIÓN.
4. NO COMPRENDER EL NUEVO MÉTODO, LO CUAL ORIGINA SOSPECHAS DE INSEGURIDAD.	CONSULTAR AL PERSONAL INVOLUCRADO EN LA SOLUCIÓN. DAR CRÉDITO A LAS SUGESTIONES VALIOSAS DE OTRAS PERSONAS.
5. UNA DISMINUCIÓN DEL CONTENIDO DE TRABAJO QUE IMPLIQUE REDUCCIÓN EN LA HABILIDAD, IMPORTANCIA Y RESPONSABILIDAD.	EN ALGUNOS CASOS ES CONVENIENTE INCLUIR LA IDEA DE UNA PERSONA POR MALA QUE SEA, CON EL FIN DE HACERLA PARTICIPAR.
6. PRESIÓN POR PARTE DEL GRUPO DE TRABAJO.	INTRODUCIR CON TACTO EL NUEVO MÉTODO.
7. TEMOR POR INSEGURIDAD ECONÓMICA.	SER OPORTUNO AL PROPORCIONAR IDEAS.
8. REDUCCIÓN EN EL GRADO DE CLASIFICACIÓN DEL TRABAJO.	OFRECER PARTICIPACIÓN EN LOS BENEFICIOS DEL CAMBIO.

9. AJUSTE EN EL TIEMPO ESTÁNDAR.	SÓLO CUANDO SE DEMUESTRE QUE EL CAMBIO ES TRASCENDENTAL.
10. FALTA DE HABILIDAD PARA DOMINAR EL NUEVO MÉTODO.	PROPORCIONAR CAPACITACIÓN EN EL NUEVO MÉTODO.
11. ALTERACIÓN DE LAS RELACIONES SOCIALES.	INTRODUCIR LOS CAMBIOS POR ETAPAS.
12. ACTITUD ANTAGÓNICA HACIA LA PERSONA QUE INTRODUCE EL CAMBIO.	TRATAR DE CAPITALIZAR LAS CARACTERÍSTICAS QUE PROPORCIONAN MAYOR BENEFICIO PERSONAL A QUIENES SE TRATA DE CONVENCER.
13. CREACIÓN O INTRODUCCIÓN REALIZADA POR UN EXTRAÑO.	TRATAR DE HACER QUE, QUIEN PUEDA RECHAZAR LA IDEA LA MEDITE Y LA TOME COMO SUYA.
14. NO PARTICIPAR EN LA FORMULACIÓN DEL NUEVO MÉTODO.	DAR GARANTÍA RESPECTO A LA SEGURIDAD DEL EMPLEO Y DEL SALARIO.
15. FALTA DE TACTO DE LA PERSONA QUE INTRODUCE EL CAMBIO.	DEMOSTRAR INTERÉS PERSONAL EN EL BIENESTAR DE LA PERSONA AFECTADA POR EL CAMBIO
16. UN CAMBIO PROPUESTO INOPORTUNAMENTE.	SER OPORTUNO AL PROPORCIONAR IDEAS. NO CUANDO ESTÉ OCUPADO, MOLESTO
17. FALTA DE CONFIANZA EN LA PERSONA QUE PROPONE EL CAMBIO.	APOYARSE EN PERSONAS CON EXPERIENCIA.
18. TEMOR A LA CRÍTICA.	CUIDARSE DE HACER CRÍTICAS U OBSERVACIONES INOPORTUNAS.
19. PROBLEMA PERSONAL ENTRE QUIEN PROPONE EL CAMBIO Y QUIEN DEBE ACEPTARLO O RECHAZARLO.	RESOLVER PRIMERO LOS CONFLICTOS PERSONALES.
20. EL DESEO DE CONSERVAR LA ESTIMACIÓN DEL GRUPO DE TRABAJADORES.	COMUNICAR CLARAMENTE LA IMPORTANCIA DEL CAMBIO.

EJERCICIOS POR RESOLVER

1. Calcule el camino crítico de la red PERT que se ilustra a continuación:

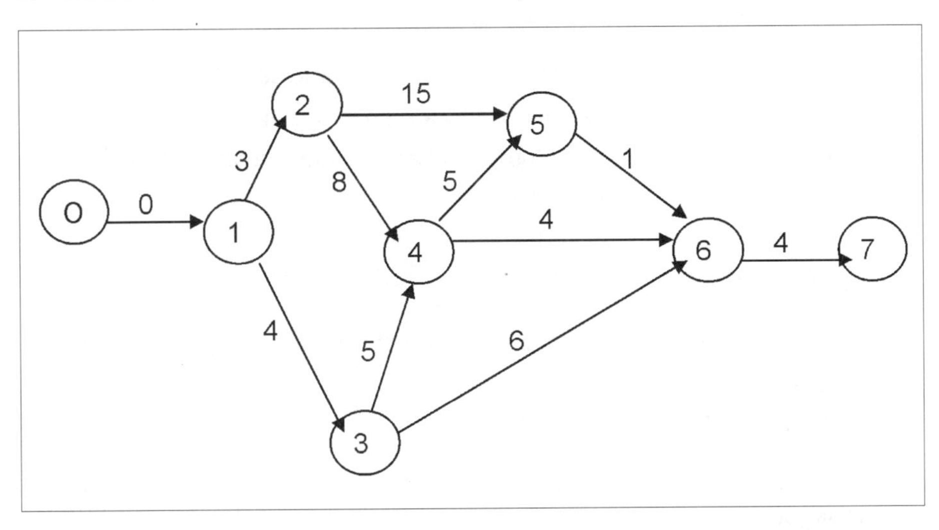

2. Construir un diagrama del proceso y un diagrama de flujo o recorrido de las siguientes actividades:
   a. Preparar un sándwich en una sandwichera eléctrica y servirlo a la mesa del comedor en plato con servilleta.
   b. Despinchar un automóvil de la llanta delantera derecha.
   c. Tanquear un automóvil en una bomba de gasolina.

En cada caso sugiera las posibilidades de mejorar el método de trabajo.

3. Realice el diagrama de precedencia para la manufactura de sillas universitarias compuestas por tubo de 1" calibre 14, asiento, espaldar, brazo, tapones plásticos, portalibros en lámina cr. calibre 20, tornillos y remaches.

4. Aplicar el procedimiento para el estudio de métodos de la silla universitaria, describiendo en cada paso las partes, elementos, cálculos, acciones etc., que sean necesarios. (Suponga los equipos, herramientas, instalaciones que sean necesarios)

5. Construir un diagrama de mano derecha mano izquierda para hacer un jugo de naranja en un exprimidor manual. Analice el diagrama y sugiera otros métodos más expeditos.

6. Construir un diagrama de actividad múltiple para lavar ropa con una operaria y tres lavadoras. Suponga que preparar la ropa para lavar demanda un minuto; cargar la lavadora hasta 25 kg., demanda 0.5 minutos; colocar detergente y seleccionar el ciclo, demanda 0.5 minutos; el ciclo de la lavadora demanda 20 minutos; sacar y extender la ropa, demanda 5 minutos. ¿Qué conclusiones puede extraer de este diagrama?

7. Para aumentar la cantidad de trabajo a un operario se debe:
   a. Lograr el ritmo máximo de producción en el trabajo.
   b. Eliminar inconvenientes, aumentar ritmo, mejorar condiciones y diseñar métodos de trabajo.
   c. Trabajar exactamente con el mismo método.
   d. Análisis del trabajo, metodología y productividad.

8. Los métodos para seleccionar alternativas de solución de problemas son:
   a. CAT, PAC, R/I. b. POP, CO, CI.
   c. APO, AP, I/R. d. ABC, AT, LV.

9. ¿Qué diagrama utilizaría primero, para estudiar una mejora en un banco de empaque?

10. ¿Cuál sería su primer tema a analizar si le encargaran la elaboración de una hoja de chequeo?

11. ¿Qué diagrama utilizaría para estudiar el trabajo de un ensamblador de tuercas y tornillos en cantidad superior a 800 veces cada día?

12. ¿Qué nombre reciben los movimientos tales como sostener, coger, etc.?

13. ¿En procesos alternativos, la numeración de las actividades va de izquierda a derecha?

14. ¿Cómo se indica que la unidad en proceso ha cambiado de tamaño?

15. ¿Qué información de resumen contiene un diagrama de proceso?

16. ¿Qué se entiende por balance de línea?

17. ¿Al estudiar una operación, además de analizar los movimientos, qué otros factores deben tener en cuenta?

18. Dar un ejemplo de cada uno de los 8 therblibs más usuales, mediante una operación con la que esté familiarizado.

19. Nombre tres factores importantes en la determinación para utilizar hombres o máquinas en una actividad determinada.

20. ¿Por qué son útiles los símbolos para el análisis de los procesos?

21. ¿Es útil fijar un estándar antes de mejorar un nuevo método?

22. ¿Cómo puede afectar la localización de la planta a los métodos de trabajo?

23. ¿Son preferibles, para efectos de rapidez de interpretación, los indicadores de información cualitativa o los de información cuantitativa?

24. ¿Qué relación hay entre el punto de utilización y la herramienta?

25. ¿Hay alguna diferencia entre los principios de economía de movimientos y los de ingeniería humana?

26. ¿Cómo podría definirse un oficio, en términos de las actividades y de las personas?

27. ¿Diga cuáles son los principales factores intangibles a considerar en la evaluación de alternativas sobre métodos de trabajo?

28. ¿El sentido del propio esfuerzo realizado por el operario está influenciado por varios factores, propios del trabajo, cuáles son?

29. ¿Cómo se determinaría el costo de aprendizaje para un nuevo método de trabajo?

30. ¿Cuáles son los errores más comunes al evaluar alternativas sobre métodos de trabajo?

31. ¿El costo unitario de mano de obra aumentará al pasar de un sistema de pago constante a un sistema de incentivos?

32. ¿En qué actividades es útil la hoja de normalización?

33. ¿Qué condición existe que relacione los métodos de trabajo con los salarios?

34. ¿Los ingresos de un trabajador aumentarán necesariamente, luego de un estudio de tiempos?

35. Redacte un artículo que describa la labor del ingeniero de métodos en las organizaciones del mundo actual.

CAPÍTULO III

LOCALIZACIÓN O EMPLAZAMIENTO DE EMPRESAS

Introducción

La eficacia, eficiencia, productividad, calidad y crecimiento de las empresas están en directa relación con la competitividad de las empresas. La innovación en productos, procesos y tecnología provoca una reacción en cadena sobre el aprovechamiento y conocimiento de la localización física.

Conforme al plan estratégico y desarrollo de los objetivos es de gran importancia disponer de instalaciones próximas al campo de actividad y entorno de clientes externos e internos, proveedores, competidores, parques tecnológicos, etc., que ofrezcan ventajas competitivas por localización, infraestructura y cercanía al mercado.

Las causas de localización obedecen a diferentes razones dentro de las cuales encontramos las siguientes:

- Mercados en expansión.
- Nuevos productos o servicios.
- Contracción de la demanda.
- Agotamiento de fuentes de abastecimiento.
- Cambio de la demanda.
- Obsolescencia de la planta.
- Posición del mercado.
- Posición de la competencia.
- Cambios socio – políticos.
- Fusiones y adquisiciones de empresas.

Los principios que se tendrán en cuenta incluyen:

- El lugar donde los costos de producción y distribución sean mínimos.
- El volumen de venta y los precios deben conducir a la maximización de los beneficios.
- El impacto de la localización y un ágil servicio influirán sobre las decisiones de compra.
- La competitividad debe ser el balance de criterios de eficiencia, eficacia y productividad frente a los competidores.

Analizar todos los factores y variables a enfrentar, usando los criterios que mejor convengan a los intereses empresariales es la tarea propuesta en este capítulo.

Objetivo

La localización de las empresas es la selección de un sitio que al funcionar genere la mayor seguridad, la menor inversión, los menores costos operativos y la mayor rentabilidad, favorable al desarrollo de las operaciones.

El cumplimiento de este objetivo enfrenta algunos problemas alternativos de decisión como:

- Requerimientos de localización
- Alternativas de localización:
- Localizar el sitio para una empresa nueva.
- Conservar el sitio actual y localizar un nuevo sitio.
- Abandonar el sitio actual y recomendar uno nuevo.
- Evaluación de alternativas.
- Selección según criterios de insumos, procesos, producto, mercado, formas combinadas.

Localización de las instalaciones

La búsqueda del sitio apropiado puede abarcar la investigación de:

- Continente.
- País.
- Región.
- Ciudad.
- Barrio.
- Terreno.

La decisión, en cada caso, dependerá de las ventajas que ofrezca cada lugar frente a los factores seleccionados para cada caso en particular.

Factores de localización

Los factores de localización pueden ser cualitativos o cuantitativos. Los factores de evaluación cualitativa son:

1. HUMANOS

Este factor comprende la actitud que la comunidad tenga o pueda llegar a tener frente a la empresa que se desea localizar. También abarcan aquellos

GRÁFICA 37. FACTORES DE LOCALIZACIÓN

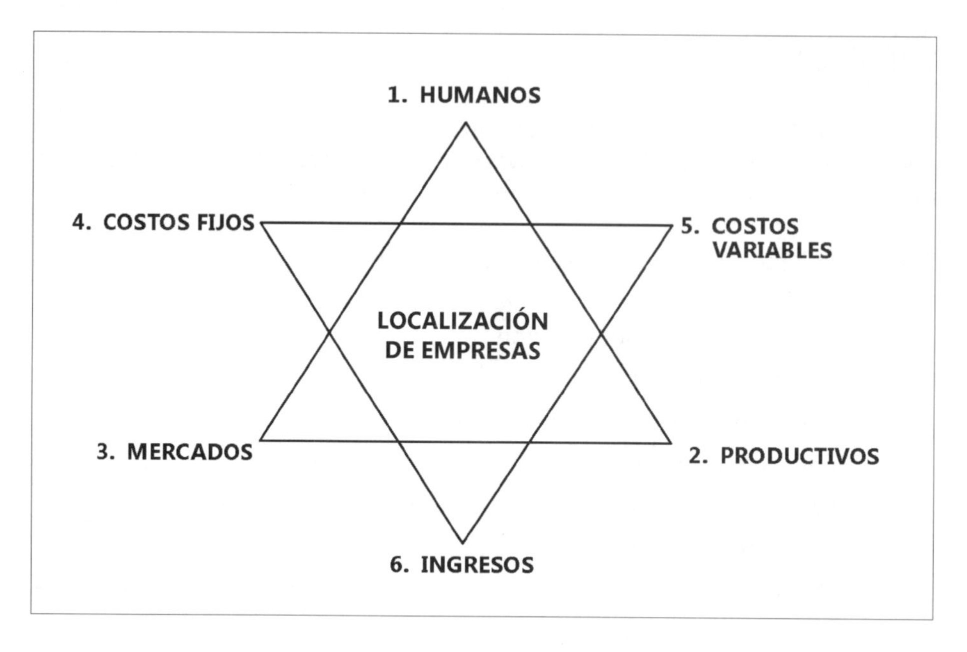

factores que pueden influir, de alguna manera, tanto sobre la comunidad, como el personal que formará parte de la empresa; como son los factores de distribución, ruido, olor, tensión, temperatura, vibración y en general las condiciones climáticas.

Igualmente se deben considerar la disponibilidad y costo de vivienda, aspectos culturales y religiosos (bibliotecas, teatros, cines, iglesias, etc.) la existencia de escuelas y centros de formación así como hospitales, servicios médicos, laboratorios, etc. hoteles y restaurantes, instituciones recreativas, transporte para el personal y medios de comunicación en general (radio, televisión, servicio de correo electrónico, telefónico, celular, etc.)

Aceptación social. Que no perturbe ni genere conflictos con personas o entidades o grupos sociales que obliguen a la empresa a asumir costos extras.

Se debe analizar el flujo de la circulación peatonal, calles llenas o vacías. Monumentos famosos en las proximidades. Frente a un semáforo. Otras empresas de categoría. Comodidad de parqueo y fácil acceso. Antes de realizar un negocio o firmar un contrato de arrendamiento preguntarse:

- ¿Ha cerrado o quebrado algún negocio en este lugar? Abrir un negocio donde otros han fracasado puede reducir las probabilidades de

GRÁFICA 38. FACTORES DE LOCALIZACIÓN CUALITATIVOS HUMANOS

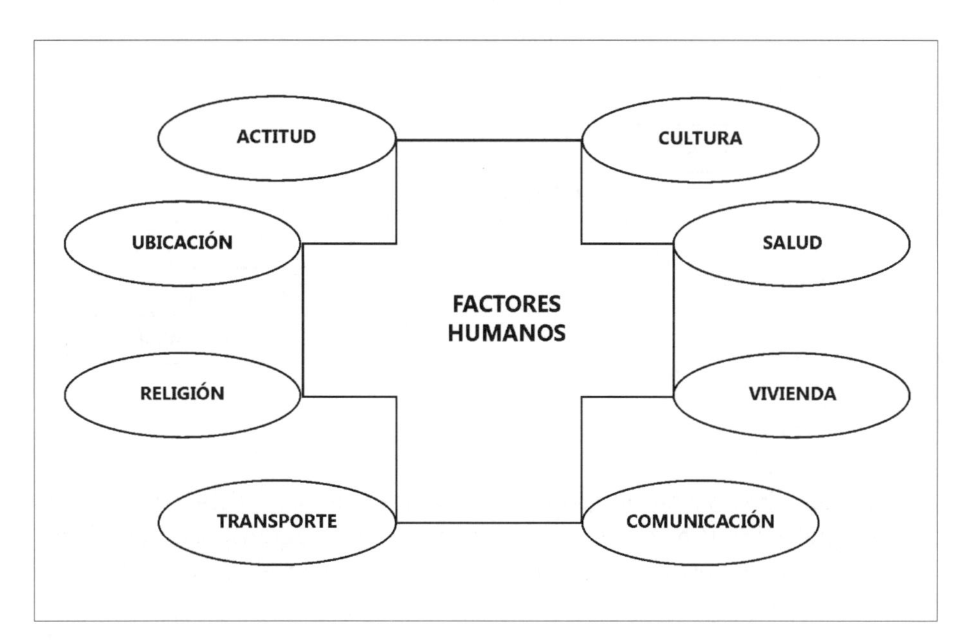

éxito. En este caso, sólo una renovación espectacular en las inmediaciones del emplazamiento podrían contribuir al éxito de una nueva empresa.

- ¿Está restringido el aparcamiento?
- ¿Hay transporte público bien situado?
- ¿Existen restricciones en el diseño de la fachada?

Productivos

Este factor hace referencia principalmente al desarrollo de la tecnología, indispensable para determinar la productividad de la empresa en función de la capacidad real de la planta.

Así mismo, tiene en cuenta las fuentes de energía en lo referente a su disponibilidad tanto eléctrica como combustible (carbón, petróleo, gas, fuel oil, etc.), agua en cantidad, calidad, confiabilidad y características biológicas y químicas.

Medios de transporte como ferrocarriles, carreteras, vías fluviales y marítimas, transporte aéreo, etc.

GRÁFICA 39. FACTORES DE LOCALIZACIÓN PRODUCTIVOS

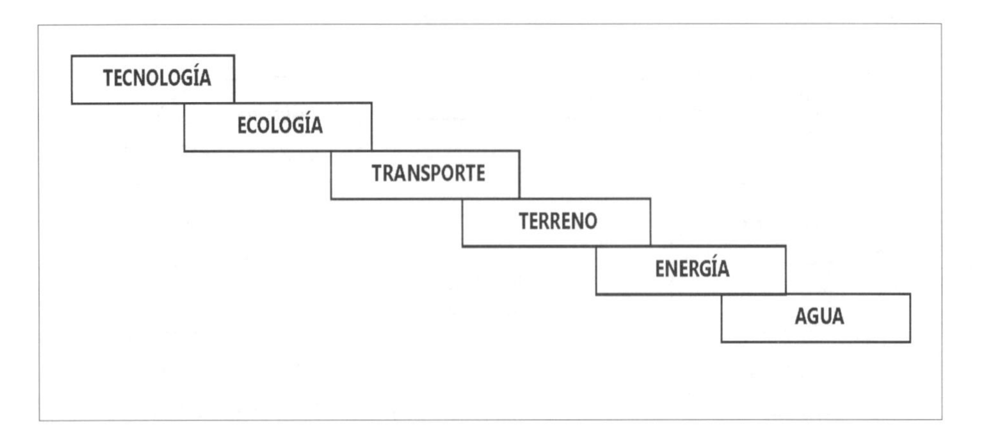

Las características del terreno como superficie requerida, resistencia del terreno, topografía, drenaje, restricciones legales y acceso de transporte, facilidades de eliminación de desperdicios, altura sobre el nivel del mar, exposición a temblores, huracanes, etc.

En este factor podemos incluir todo lo relacionado con el control ambiental, a fin de evitar la destrucción del medio ambiente que es controlado por el Estado mediante leyes y reglamentación oficial; y que acarrea tecnología especial para el tratamiento de desperdicios y control ambiental general.

Mercados

En este factor se estudia la segmentación del mercado. Consiste en dividir la población en grupos significativos de compradores para encontrar el más atractivo para el servicio, producto, o productos, de la empresa que se estudia. Esta división de grupos puede hacerse según las variables siguientes:

- Socioeconómica. (Edad, sexo, ocupación, educación, ingresos, nacionalidad, clase social, etc.)
- Geográfica. (Región, extensión, tamaño, densidad, clima, etc.)
- Personalidad. (Autónoma, conservadora, líder, imperiosa, etc.)
- Comportamiento. (Índice de uso, clase de comprador, motivo de compra, lealtad, sensibilidad al precio, servicio, publicidad, etc.)
- Características del producto; como tamaño, peso, composición, seguridad, embalaje, constituyen pautas decisivas a la hora de localizar una planta.

- Promoción de exportaciones. Colocar una planta en un sitio que ofrezca facilidades de exportación, le permitirá una posición competitiva por la amplitud del mercado que puede lograr la empresa en estudio.
- Competencia y concentración industrial. La eficiencia, la efectividad de la planta, exige tecnología y mano de obra calificada que debe ofrecer el medio donde se localice una empresa.
- Dinámica de la demanda. La localización debe adaptarse a las necesidades y conveniencias del cliente y a su desarrollo. Distribución y proximidad de los mercados. Lo ideal es que la localización frente a este factor, permita atender clientes con la prontitud que lo requiera sin incrementar su costo y con la mayor seguridad y cuidado para el producto.

GRÁFICA 40. VARIABLES DEL SEGMENTO DEL MERCADO

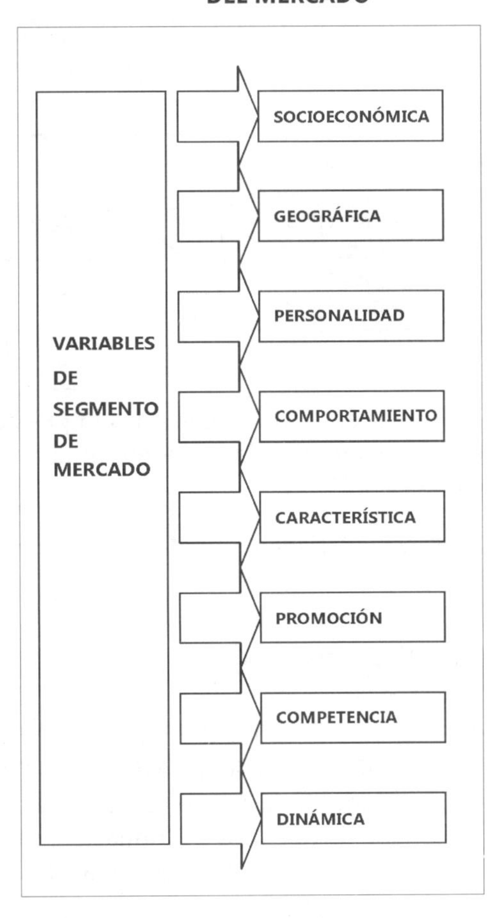

Los factores cuantitativos se refieren a:

Costos fijos

Generalmente ocurren sólo una vez y deben recuperarse a partir de los ingresos. Si la inversión es rentable se procede a la evaluación de la disponibilidad y costos de instalación acorde con las decisiones de producto y proceso. Adquisición de terrenos. Construcción nueva, adicional, reforma o arriendo. Compra de equipo y herramientas. Costos por instalación de servicios y pago de los mismos (energía, agua, teléfono, recolección de basuras y desechos, etc.).

GRÁFICA 41. FACTORES DE LOCALIZACIÓN CUANTITATIVOS

La legislación local, tal como los impuestos y obligaciones fiscales, así mismo los incentivos estatales, pueden ser determinantes en la decisión de localizar la empresa.

Transporte, facilidad, cantidad, tarifa y demoras en entregas. Seguridad industrial y física.

Costos variables

Aquí se contempla la disponibilidad, calidad y costos de:

- DISPONIBILIDAD DE MANO DE OBRA CALIFICADA. Considera niveles de sueldos y salarios, oferta suficiente, calidad dada por empresas competidoras y centros de formación, capacitación y desarrollo, poder sindical y productividad de los trabajadores.
- MATERIAS PRIMAS. Considera costos, fuentes de suministros, disponibilidad presente y futura, sustitutos presentes o futuros.
- TRANSPORTE. Facilidad, cantidad, tarifas y demoras en la entrega.

Ingresos

La subsistencia de las empresas está asegurada según el nivel de ingresos que pueda tener. Éstos, a su vez, pueden variar según la localización y la aceptación que el producto o servicio tenga. Por esta razón es necesario estudiar:

LOGÍSTICA DE DISTRIBUCIÓN:

- Distancia y cercanía al mercado.
- Tiempos de entrega.

- Medios o infraestructura física como carreteras, servicios aduaneros, comunicaciones.
- Costos de fletes en función del peso, volumen y transferencia de materias primas y productos terminados.
- Insumos según el tipo de producto y durabilidad, servicio post venta.
- Acceso a información empresarial.

CARACTERÍSTICAS DEL PRODUCTO:

- Calidad.
- Diseño.
- Cantidad.
- Proceso.

GRÁFICA 42. FACTORES DE DISEÑO DE PRODUCTO

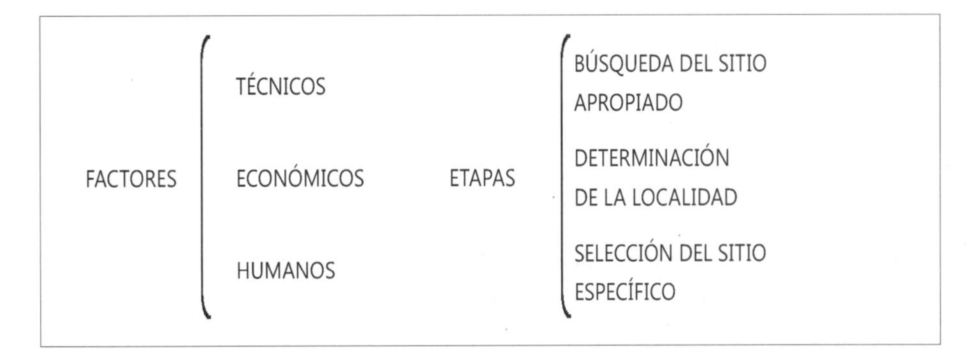

Proceso de análisis y evaluación de la localización en planta

Usualmente se inicia con un tamizado para identificar los lugares factibles, teniendo en cuenta algunos factores como:

- Disponibilidad de terrenos, construcciones y sus costos.
- Disponibilidad de materias primas, fuentes, disponibilidad presente y futura, costos, sustitutos, forma de entrega.
- Facilidades de transporte (carreteras, ferrocarriles, aéreos, fluviales, marítimos), capacidad, versatilidad, seguridad, tiempo, articulación y costos.
- Mercado, clientes potenciales, productos perecederos o frágiles, estabilidad de la moneda.
- Disponibilidad de servicios públicos y sus tarifas.

GRÁFICA 43. EVALUACIÓN DE LA LOCALIZACIÓN DE INSTALACIONES

FACTORES DE LOCALIZACIÓN	PUNTOS	FUENTES DE INFORMACIÓN
HUMANOS		ANDI
- ACTITUD DE LA COMUNIDAD		CAMACOL
- DISPONIBILIDAD DE VIVIENDA		DANE
- COSTO DE VIVIENDA		BANCO DE LA REPÚBLICA
- MEDIOS CULTURALES		BIBLIOTECA LUIS A. ARANGO
- ESCUELAS, BIBLIOTECAS		SECRETARÍA DE EDUCACIÓN
- CENTROS DE FORMACIÓN		ICFES
- TEATROS		ICETEX
- CINE		SUPERINTENDENCIA DE SOCIEDADES
- MUSEOS		COLCULTURA

- Condiciones climáticas que afecten productos, procesos, costos por calefacción, refrigeración, filtrado de aire.
- Receptividad de la comunidad.
- Costos de construcción.
- Calidad de vida, clima, vivienda, recreación, colegios, lengua.
- Política gubernamental, actitud, autoridad, incentivos, impuestos, opinión pública, normatividad, administración.
- Disponibilidad de la mano de obra, habilidad, productividad, tasa de empleo, poder sindical, nivel de sueldos y salarios, vivienda, nivel de ausentismo, actitud, cultura, etc.
- Internacionalización de la economía.
- Automatización, flexibilidad de los procesos.
- Desarrollo informático y comunicaciones.

Se realiza un análisis más detallado haciendo una encuesta en cada uno de los lugares factibles para evaluar actitudes y diseñar estrategias de aceptación. También para analizar costos de transporte y distribución.

Se evalúan los lugares potenciales usando modelos que han sido empleados para resolver problemas de localización:

Modelo de la mediana simple. Si los costos de transporte son proporcionales a la distancia; estos costos se calculan sumando el número de despachos, multiplicado cada uno por la distancia que se debe recorrer:

Costo de transporte = Σni = i # despachos i x distancia i

Mediante un gráfico de coordenadas cartesianas. se ubican las fuentes de materias primas y las bodegas de distribución. Como todos los despachos, deben hacerse siguiendo rutas rectangulares, la distancia total se mide por la longitud del movimiento en la dirección X y en la dirección Y:

$$Di = (X - Xi) + (Y - Yi)$$

GRÁFICA 44. MÉTODO DEL TRANSPORTE

DESTINO ➔➔➔					CANTIDADES DISPONIBLES
	1				X
ORIGEN	2				Y
	3				
CANTIDADES REQUERIDAS➔➔➔		A	B	C	

Las variables X y Y representan las coordenadas de cualquier ubicación que pueda proponerse. Lo que se quiere es, encontrar los valores de X y Y que produzcan el menor costo de transporte.

PROGRAMACIÓN LINEAL

El método del transporte, usando el costo total de transporte como criterio para evaluar la mejor alternativa de localización.

SIMULACIÓN

Se usa para casos complejos. La simulación puede evaluar costos de distribución, las distancias a y óptimos, los tiempos de ciertas actividades. Aunque la simulación maneja problemas muy complejos, su aplicación exige información que puede ser difícil de obtener y costosa. Es recomendable para sistemas grandes, donde economías pequeñas se traducen por su volumen, en grandes soluciones de costos de operación.

GRÁFICA 45. RESUMEN DE LOCALIZACIÓN DE EMPRESAS

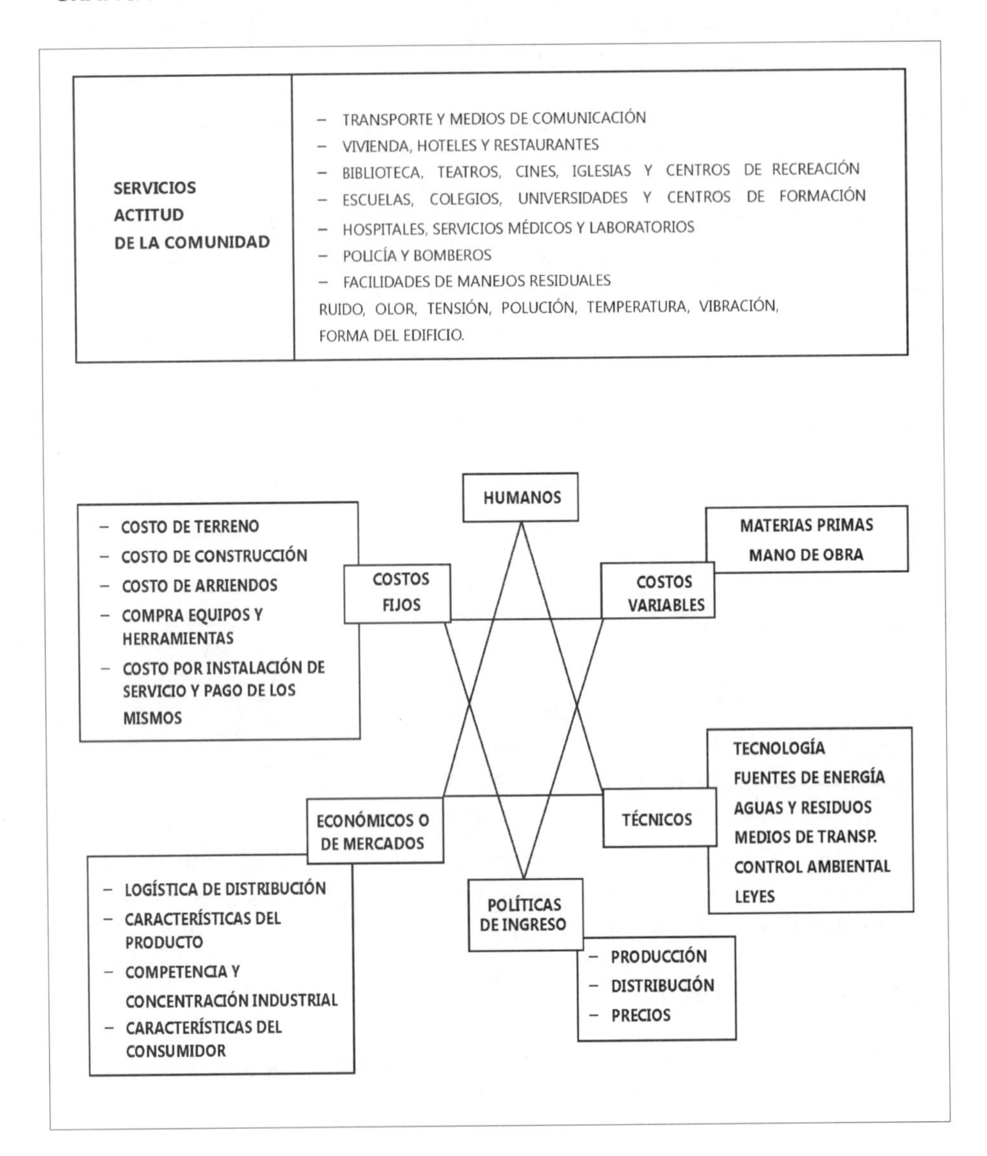

PREGUNTAS

1. Al localizar una empresa, el sitio debe reunir los siguientes requisitos:
   a. Terreno, barrio, ciudad, región, país, continente.
   b. Montar sucursal, cambiar localización, montar empresa nueva.
   c. Seguridad, inversión, costos, rentabilidad.
   d. Ventaja, decisión, aprovechamiento, ubicación.

2. Los factores de localización son de carácter:
   a. Variable, sistémico, sensible y orgánico.
   b. Humanos, productivos, costos, mercados, ingresos.
   c. Técnicos, económicos, sociales, funcionales.
   d. Orgánicos, estructurales, divisionales y económicos.

3. El proceso de análisis y evaluación de la localización en planta comprende:
   a. Disponibilidad de las autoridades, comunidad y dirección
   b. Facilidades de transporte, vivienda, hospitales, teatros y colegios.
   c. Receptividad de la comunidad, grado de integración y sensibilidad.
   d. Calidad de vida, costos, disponibilidad de terreno, materias primas y servicios.

4. La distribución en planta tiene como objetivos:
   a. Hallar el ordenamiento de las áreas de trabajo, equipo y materiales, que sea funcional, económico, estético y seguro.
   b. Usar bien los materiales, las máquinas, la mano de obra y las herramientas
   c. Lograr instalaciones sólidas, estables, funcionales y agradables.
   d. Obtener el máximo aprovechamiento de los materiales, las máquinas y la tecnología.

5. Los principios básicos de la distribución en planta son:
   a. Integración de conjunto, iluminación adecuada, seguridad, costo y circulación.
   b. Uso del área, ajustes y reordenamiento de equipos, materiales y personas.
   c. Circulación y flujo, integración de conjunto, mínima distancia recorrida, uso del espacio cúbico, condiciones ambientales y flexibilidad.
   d. Flexibilidad para crecer, organizar, mejorar, utilizar y circular.

6. Los factores que influyen en la distribución en planta son:
   a. El producto y las materias primas, las máquinas, sus herramientas, las personas y las comunicaciones.
   b. La maquinaria y su forma, el producto y las materias primas, los procesos, los servicios y el personal.
   c. Forma de la planta, los pisos, el personal, el peso y los procesos.
   d. El personal, las máquinas, la temperatura, los servicios y los medios de comunicación y bienestar general.

7. Clasifique los materiales definiéndolos y dando ejemplos en cada una de ellas.

8. Liste y defina la importancia de cada uno de los factores que determinan la localización de una planta.

9. Cuando existen fuentes de materias primas en varios lugares y tenemos que escoger un sitio considerando todos los lugares, ¿qué técnicas se deben utilizar para minimizar el costo de transporte según los factores de peso, volumen y riesgo?

10. ¿Qué aspectos se deben considerar al seleccionar el tipo de transporte que utiliza una planta?

PROBLEMAS

1. Indique en un cuadro de coordenadas cartesianas, los costos de transporte por kilómetro en los distintos sistemas existentes en Colombia (camión, tren, barco, avión).

2. Indique en un mapa de Colombia los distintos sistemas de transporte con el kilometraje entre las ciudades que cruce (carreteable, ferroviario, fluvial, aviación).

3. Identifique, conforme a los distintos factores, la localización adecuada que deben tener empresas dedicadas a la fabricación de los siguientes productos:
   a. Deteriorables (panaderías, lecherías, etc.).
   b. Frágiles (avícolas, artesanías, etc.).
   c. Bajo órdenes de pedido para otras industrias.

4. Dónde se debe localizar una planta cuando sólo maneja materiales puros que, generalmente son materiales que no pierden peso como el agua y la arcilla.

5. Cuando una planta maneja materiales que pierden peso, o sea que una fracción del peso de la materia prima no forma parte del producto, como el hierro y la madera. ¿Dónde debe quedar ubicada una planta?

6. Las plantas que utilizan artículos comunes o generales, es decir aquellos que siempre se encuentran disponibles en muchas partes, ¿dónde deben quedar localizadas? Explique sus razones.

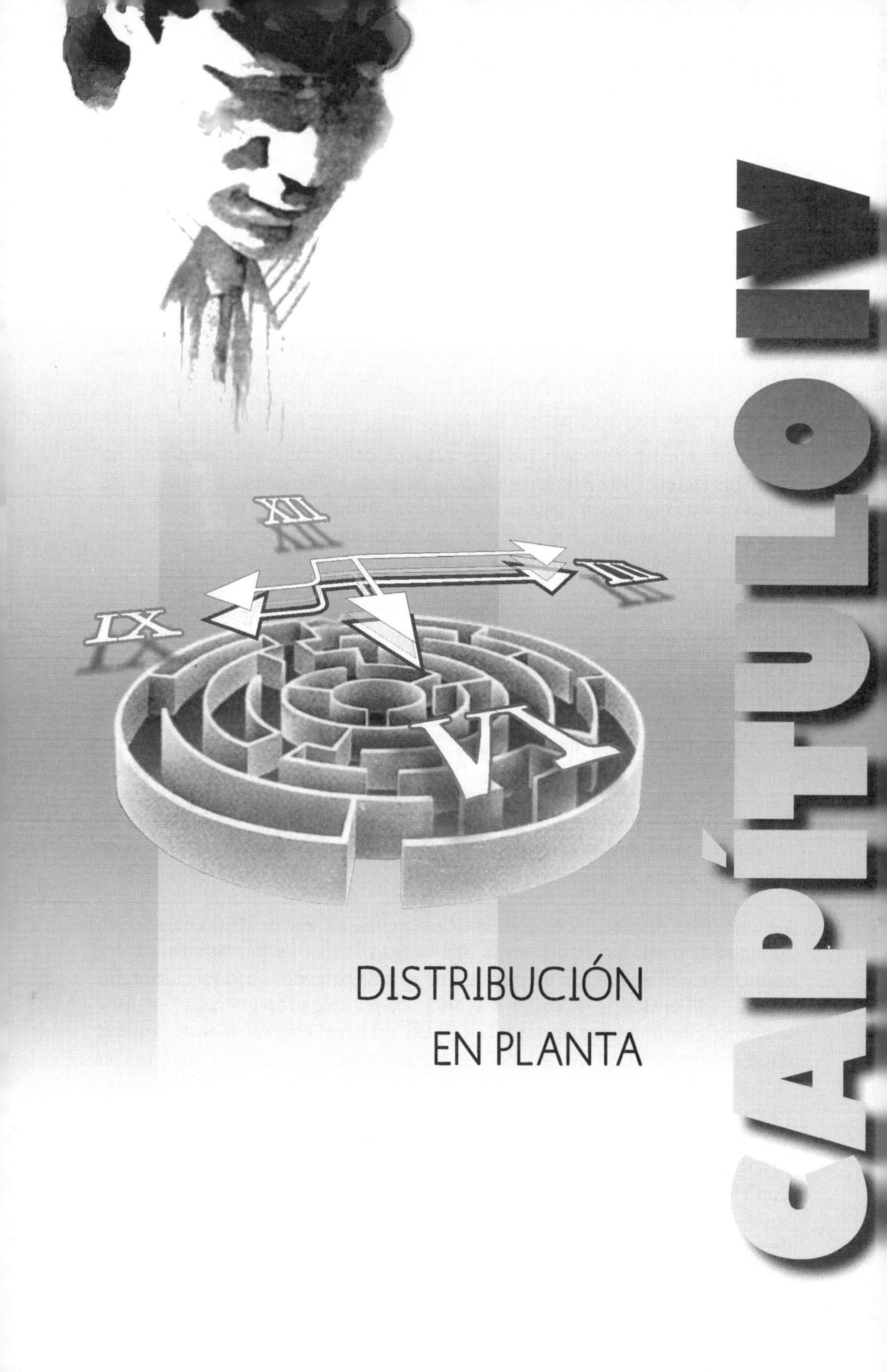

CAPÍTULO IV

DISTRIBUCIÓN EN PLANTA

Introducción

El presente capítulo nos muestra en qué consiste la distribución en planta de manera teórica y práctica. Para el efecto se presenta, la justificación, la definición, la importancia, los objetivos, los principios y la naturaleza de los problemas.

Seguidamente, se estudiarán los tipos clásicos de la distribución en planta, así como los factores que influyen en dicha distribución. Por último se analizan los fundamentos que guían hacia una correcta planeación en la distribución y se presentan aplicaciones a empresas manufactureras y de servicios. Así como también las conclusiones del tema y la bibliografía consultada.

Es de gran importancia un reconocimiento total del tema de distribución en planta, en el estudio de métodos, movimientos y tiempos, porque constituye la base para implementar nuevos procedimientos y técnicas en la ejecución de los procesos productivos, dando como resultado una distribución adecuada y así mismo un beneficio óptimo para el mejoramiento continuo de las empresas tanto industriales como de servicios.

Las primeras distribuciones eran producto del hombre que llevaba a cabo el trabajo, o del arquitecto que proyectaba el edificio, se mostraba un área de trabajo para una misión o servicio específico, pero no reflejaba la aparición de ningún principio.

Las primitivas distribuciones eran principalmente la creación de un hombre en su industria particular; había pocos objetivos específicos o procedimientos reconocidos, de distribución en planta. Con el advenimiento de la revolución industrial, se transformó en objetivo económico para los propietarios, el estudiar la distribución en planta de sus fábricas. Las primeras mejoras fueron dirigidas hacia la mecanización del equipo. Se dieron cuenta también de que un taller limpio y ordenado era una ayuda tangible. La especialización del trabajo empezó a ser tan grande, que el manejo de los materiales empezó también a recibir una mayor atención por lo que se refiere a su movimiento entre dos operaciones, los almacenamientos temporales y de almacenamiento propiamente dicho. Con el tiempo, los propietarios o sus administradores empezaron a crear conjuntos de especialistas para resolver los problemas de distribución. Con ellos llegaron los principios que se conocen hoy en día.

Justificación

Desde el punto de vista teórico la distribución en planta es útil porque contribuye al éxito de la gestión empresarial. Por otro lado, se puede afirmar que la distribución en planta es de vital importancias ya que por medio de ella se logra un adecuado orden y manejo de las áreas de trabajo y equipos, con el fin de minimizar tiempos, espacios y costos, orientan a los directivos en su tarea de dirigir las actividades y caminos a seguir y señalar los peligros que se deben evitar en la producción.

Los motivos que hacen necesaria la redistribución, se deben a tres tipos de cambios:

- En el volumen de la producción.
- En la tecnología y en los procesos.
- En el producto.

La frecuencia de la redistribución dependerá de las exigencias del propio proceso, puede ser periódicamente, continuamente o con una periodicidad no concreta. Los síntomas que ponen de manifiesto la necesidad de recurrir a la redistribución de una planta productiva son:

- Congestión y deficiente utilización del espacio.
- Acumulación excesiva de materiales en proceso.

GRÁFICA 46. NECESIDADES DE DISTRIBUCIÓN EN PLANTA

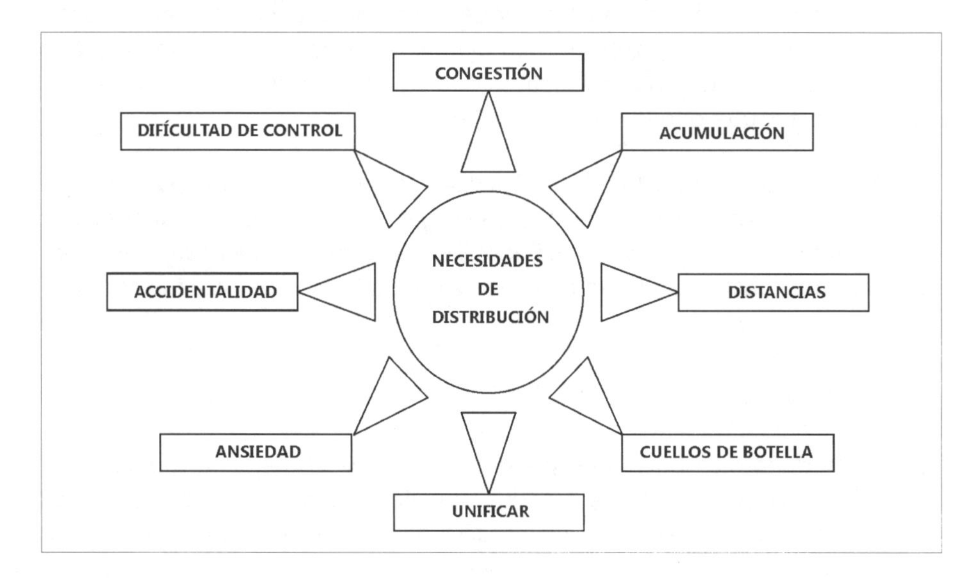

- Excesivas distancias a recorrer en el flujo de trabajo.
- Simultaneidad de cuellos de botella y ociosidad en centros de trabajo.
- Trabajadores cualificados realizando demasiadas operaciones poco complejas.
- Ansiedad y malestar de la mano de obra.
- Accidentes laborales.
- Dificultad de control de las operaciones y del personal.

Finalmente, una buena distribución en planta es importante porque evita fracasos productivos y financieros, contribuyendo a un mejoramiento continuo en los procesos, tanto en las empresas industriales así como en las de servicios.

Definición de la distribución en planta

Es el proceso de ordenamiento físico de los espacios necesarios para el equipo de producción, los materiales, el movimiento y almacenamiento tanto de los materiales como de los productos terminados, el trabajo del personal y los servicios complementarios, de modo que constituyan un sistema productivo capaz de alcanzar los objetivos fijados de la forma más adecuada y eficiente posible.

Es una actividad de la industria que determina la eficiencia y en algunos casos, la supervivencia de las empresas. Este ordenamiento físico, incluye también los trabajadores indirectos y todas las otras actividades o servicios, como el equipo de trabajo, los elementos de empaque y embalaje y el personal de taller de mantenimiento. Para llevar a cabo una distribución en planta, ha de tenerse en cuenta cuáles son los objetivos estratégicos y tácticos que aquella habrá de apoyar y los posibles conflictos que puedan surgir entre ellos.

La mayoría de las distribuciones quedan diseñadas eficientemente para las condiciones de partida, pero a medida que la organización crece debe adaptarse a cambios internos y externos lo que hace que la distribución inicial se vuelva menos adecuada, hasta el momento en que la redistribución se hace necesaria.

Importancia

Por medio de la distribución en planta se consigue el mejor funcionamiento de las instalaciones. Se aplica a todos aquellos casos que necesiten disponer de unos medios físicos en un espacio determinado, ya esté prefijado o no. Su utilidad se extiende tanto a procesos industriales como de servicios y contribuye a la reducción del costo de fabricación.

Objetivo general

Como objetivo general se persigue hallar el ordenamiento de las áreas de trabajo, equipo y materiales, que sea el más funcional, económico, estético, seguro y satisfactorio para el personal.

Objetivos específicos

- Organizar integralmente los medios de producción en una unidad racional equilibrada y rentable.
- Hacer mínimos, pero fáciles los movimientos de materiales y personal.
- Usar bien el espacio tanto horizontal como vertical.
- Lograr instalaciones sin riesgos de accidentes para las personas, ni daños para los equipos y materiales.
- Estudiar los tipos clásicos de distribución existentes, así como los factores más relevantes que influyen en ella.
- Determinar la manera correcta de aplicar la distribución en planta a empresas industriales y de servicios.
- Obtener el máximo aprovechamiento de la maquinaria, mano de obra y servicios.
- Dar flexibilidad para posteriores cambios y ajustes en el diseño de productos, métodos de fabricación, redistribución de equipo o cambio y expansión de la empresa.
- Permitir una supervisión fácil y efectiva.
- Lograr instalaciones estéticas que eleven la moral y satisfacción del personal.
- Asegurar espacios adecuados para el manejo y almacenamiento de materiales, accesorios y productos.
- Elevar la productividad eliminando retrasos, desperdicio de material en el proceso, pérdida de tiempo en el proceso de fabricación, en el trabajo administrativo y en el trabajo indirecto en general.
- Reducción del riesgo para la salud y aumento de la seguridad de los trabajadores.
- Elevar la moral y la satisfacción del obrero.

- Incremento de la producción.
- Disminución de los retrasos en la producción.
- Ahorro de área ocupada.
- Reducción del manejo de materiales.
- Reducción del material en proceso.
- Acortamiento del tiempo de fabricación.
- Reducción del trabajo administrativo y del trabajo indirecto en general.
- Logro de una supervisión más fácil y mejor.
- Disminución de la congestión y confusión.
- Mayor facilidad de ajuste a los cambios de condiciones.

Para llegar a una solución óptima, es necesario analizar detenidamente las distribuciones alternativas, con sus ventajas e inconvenientes a la luz de los objetivos citados.

CUADRO 16. PROBLEMAS DE DISTRIBUCIÓN EN PLANTA

PROBLEMAS A RESOLVER CON LA DISTRIBUCIÓN EN PLANTA	DISEÑO DE UNA NUEVA PLANTA
	EXPANSIÓN O TRASLADO DE UNA PLANTA YA EXISTENTE
	ADAPTACIONES
	AJUSTES EN DISTRIBUCIONES YA EXISTENTES

PRINCIPIOS DE LA DISTRIBUCIÓN EN PLANTA

1. Principio de la integración de conjunto: La mejor distribución es la que integra a los hombres, los materiales, la maquinaria, las actividades auxiliares, así como cualquier otro factor, de modo que resulte el compromiso mejor entre todas estas partes.

2. Principio de la mínima distancia recorrida: en igualdad de condiciones, es siempre mejor la distribución que permite que la distancia a recorrer entre operaciones sea la más corta.

3. Principio de la circulación o flujo de materiales.

4. En igualdad de condiciones, es mejor aquella distribución que ordene las áreas de trabajo de modo que cada operación o proceso est{e en el mismo orden o secuencia en que se transforman, tratan o montan los materiales.

CUADRO 17. PRINCIPIOS DE DISTRIBUCIÓN EN PLANTA

PRINCIPIOS BÁSICOS DE LA DISTRIBUCIÓN EN PLANTA	INTEGRACIÓN DE CONJUNTO. LA MEJOR DISTRIBUCIÓN ES LA QUE INTEGRA HOMBRES, MATERIALES, MÁQUINAS Y MÉTODOS PARA LOGRAR LA MEJOR COORDINACIÓN ENTRE ELLOS.
	MÍNIMA DISTANCIA RECORRIDA ENTRE OPERACIONES. TODO MOVIMIENTO SÓLO LE AGREGA COSTO AL PRODUCTO.
	CIRCULACIÓN Y FLUJO DE MATERIALES Y PERSONAS ORDENADOS.
	USO DEL ESPACIO CÚBICO. REDUCE COSTOS EN EL USO POR METRO CUADRADO DE CONSTRUCCIÓN.
	CONDICIONES AMBIENTALES. CON LUZ, RUIDO Y TEMPERATURA APROPIADOS, SIN CONTAMINANTES PARA LOGRAR LA SEGURIDAD, EFICIENCIA Y SATISFACCIÓN DEL PERSONAL.
	FLEXIBILIDAD. QUE PERMITA AJUSTES Y REORDENAMIENTOS SIN PARADAS DE EQUIPOS A COSTOS ECONÓMICOS.

5. Principio del espacio cúbico: la economía se obtiene utilizando de un modo efectivo todo el espacio disponible, tanto vertical como horizontal.

6. Principio de la satisfacción y de la seguridad: en igualdad de condiciones, será siempre más efectiva la distribución que haga el trabajo más satisfactorio y seguro para los productores.

7. Principio de la flexibilidad: en igualdad de condiciones, siempre será más efectiva la distribución que pueda ser ajustada o reordenada con menos costo o inconvenientes.

NATURALEZA DE LOS PROBLEMAS

- Estos problemas deben ser de cuatro clases:
- Proyecto de una planta completamente nueva.
- Expansión o traslado de una planta ya existente.
- Reordenación de una distribución ya existente.
- Ajustes menores en distribuciones ya existentes.

ELEMENTOS INVOLUCRADOS EN LA PRODUCCIÓN

Antes de empezar a clasificar y analizar la distribución para una producción, es importante comprender claramente las relaciones existentes entre los elementos involucrados en dicha producción: hombres, materiales y maquinaria (incluyendo utillaje y equipo).

Existen modos de relacionar los elementos fundamentales de producción:

- Movimiento de material. Es probablemente el elemento más comúnmente movido.
- Movimiento del hombre. Los operarios se mueven de un lugar de trabajo al siguiente, llevando a cabo las operaciones necesarias sobre cada pieza de material.
- Movimiento de maquinaria. El trabajador mueve diversas herramientas o máquinas para actuar sobre una pieza grande.

Generalmente, es demasiado caro e innecesario moverlos a los tres. Téngase en cuenta que, al menos, uno de los tres elementos debe moverse, pues de lo contrario no puede haber producción flexible en sentido industrial. Pero lo más común industrialmente hablando, es mover el material.

Al material pueden sucederle tres cosas en la obtención de un producto:

- Cambio de forma (elaboración o fabricación)
- Cambio de características (tratamiento)
- La adición de otros materiales a una primera pieza o material (montaje)

Tipos de distribución en planta

Aunque pueden existir otros criterios, es evidente que la forma de organización del proceso productivo, resulta determinante para la elección del tipo de distribución en planta. Suelen identificarse cuatro formas básicas de distribución en planta:

- Por producto, asociada a la configuración continua o repetitiva.
- Por proceso, asociada a configuraciones por lotes.
- Por posición fija, correspondiente a las configuraciones por proyecto.
- Células de fabricación, como mezclas de fabricación.

Sin embargo, a menudo, las características del proceso hacen conveniente la utilización de distribuciones combinadas, llamadas distribuciones híbridas, siendo la más común aquélla que mezcla las características de las distribuciones por producto y por proceso, llamada distribución por células de fabricación.

GRÁFICA 47. TIPOS DE DISTRIBUCIÓN EN PLANTA

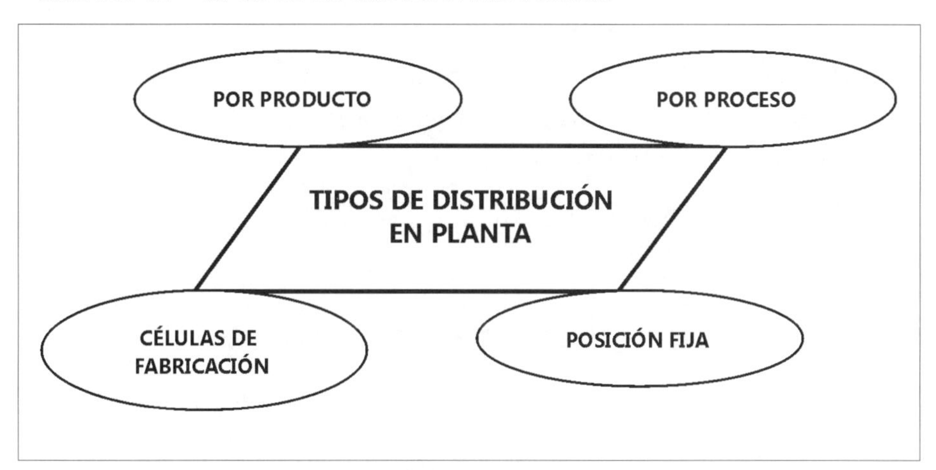

DISTRIBUCIÓN POR PRODUCTO, LÍNEA O CADENA: es la adoptada cuando la producción está organizada bien de forma continua, en cuyo caso la distribución es relativamente sencilla, pues se trata de colocar cada operación tan cerca como sea posible de su predecesora. La maquinaria y los servicios auxiliares se disponen, en la secuencia de las operaciones a lo largo de la cadena de producción (refinerías, fábricas de cemento, centrales eléctricas, etc.). O de forma repetitiva, usada en la producción continua de productos estándar (electrodomésticos, cadenas de lavado de vehículos, etc.). Las máquinas se sitúan unas junto a otras, a lo largo de una línea en la secuencia en que cada una de ellas ha de ser utilizada; el producto sobre el que se trabaja, recorre la línea de producción de una estación a otra a medida que surte las operaciones necesarias.

Sólo una operación del proceso se hace en cada posición o con cada pieza del equipo. Es poco flexible y se usa para producción en masa. Maneja pocos tipos de materiales. Permite mejor utilización del espacio y equipo de la planta. El equipo es especializado. Los costos de operación son menores pero los de capital son mayores.

Las desventajas más sobresalientes son:

- Requiere un excelente programa de mantenimiento preventivo para evitar paradas del proceso o adelantar el mantenimiento con la línea en funcionamiento, lo cual conlleva riesgos de accidente. Un buen ejemplo de este sistema es el ensamble de vehículos.
- Manejo de materiales reducido.
- Escasa existencia de trabajos en curso.
- Mínimos tiempos de fabricación.

- Simplificación de sistemas de planificación y control de la producción.
- Simplificación de tareas.
- Ausencia de flexibilidad en el proceso.
- Escasa flexibilidad en los tiempos de fabricación.
- Inversión muy elevada.
- El conjunto depende de cada una de las partes.
- Trabajos muy monótonos.

Exigencias de la producción en cadena

1. Cantidad de producción y economía de la instalación. Mover los puestos de trabajo y la maquinaria cuesta dinero. Por lo tanto, la línea o cadena de producción debe ahorrar más de lo que cuesta instalarla.

2. Equilibrio. Es la base de la economía de operación. Si la operación 1 necesita dos veces más tiempo que la operación 2, los obreros de la segunda así como su maquinaria, permanecerán la mitad de su tiempo ocioso y se presentará lo que se conoce como "cuello de botella", donde la capacidad resulta ser la más baja de todos los centros de trabajo, afectando el proceso completo. Esto resultará demasiado costoso. Problema que suele solucionarse mediante el equilibrio de la cadena, y consiste en subdividirla en estaciones de trabajo cuya carga sea equilibrada. La asignación de trabajo a las distintas estaciones se realiza de modo que se consiga la producción deseada con el menor número de estaciones. Los pasos a seguir para un equilibrio en las operaciones productivas son:

Definición de tareas e identificación de precedencias. Se comienza por descomponer el trabajo en tareas que pueden ser realizadas en forma independiente. Luego para cada una de ellas se identifican las actividades precedentes. Este ordenamiento queda recogido en el diagrama de precedencia.

Cálculo del número mínimo de estaciones de trabajo:

1. Se comienza calculando el tiempo de ciclo (Tc en segundos/unidad) de la línea, que representa el tiempo máximo permitido a cada estación para procesar una unidad de producto.

$$Tc = (1/q)\ (\text{horas/unidad}) \times 3600\ (\text{segundos/hora})$$

Donde "q" es la producción deseada expresada en unidades/hora y se obtiene por cociente entre la producción deseada por período productivo y el número de horas de trabajo disponibles por período.

El ideal de equilibrio, se da cuando la suma de los tiempos de ejecución de las tareas de cada estación, coincide con el tiempo de ciclo.

2. Luego se busca realizar el equilibrio con el menor número de estaciones de trabajo posible. Este concepto se conoce como mínimo teórico, (Mt) y se expresa así:

   $$Mt= S\ ti / q$$

   Siendo "ti" el tiempo de ejecución de la tarea i y S ti el tiempo de ejecución total requerido para elaborar una unidad de producto.

3. Se calcula el tiempo ocioso (To), que es el tiempo improductivo total en la fabricación de una unidad para el conjunto de todas las estaciones de trabajo. Este tiempo ocioso, se calcula mediante:

   $$To = nc - S\ ti$$

   Donde "nc" es el tiempo total necesario por unidad.

4. Luego se calcula la eficiencia: Expresada como la relación por cociente entre el tiempo requerido y el tiempo realmente necesario o empleado:

   $$E(\%)= 100\ S\ ti / nc$$

   En tanto la eficiencia alcanzada no llegue al 100 por 100 existirá un retraso:

   $$R(\%)= 100 - E$$

- Asignación de las tareas a las estaciones de trabajo.
  1. Se comienza a formar la primera estación, a la que se le asigna el número.
  2. Se elabora una lista con todas las posibles tareas que podrían ser incluidas en la estación. Se selecciona entre las candidatas de la lista una tarea.

     Se calcula el tiempo acumulado de todas las tareas asignadas hasta ese momento y se le resta al tiempo de ciclo para obtener su tiempo ocioso. Si queda alguna tarea por asignar, no puede ser asignada a la estación que se está formando en ese momento, debe crearse una nueva estación.
  3. Evaluación de la eficacia y eficiencia de la solución y búsqueda de mejoras:
     - La solución será eficaz si alcanza la capacidad deseada, lo cual se puede hacer depender de la producción deseada.
     - La solución será eficiente si minimiza el tiempo ocioso.

Distribución por proceso o funcional

Se adopta cuando la producción se organiza por lotes (muebles, talleres de reparación de vehículos, sucursales bancarias, etc.). Aquí la maquinaria, el personal y los servicios, se agrupan por similitud o igualdad de los procesos en departamentos; por ejemplo, el torneado, la soldadura, la pintura, etc. Esta distribución se usa principalmente en la distribución bajo pedido o en lotes.

De acuerdo con el producto y el proceso, cada máquina puede participar o no en la manufactura de cualquier producto. Es un proceso flexible que se usa cuando hay muchos productos diferentes o cuando el pedido es muy pequeño. En este proceso el flujo no se interrumpe por la descompostura de una máquina, pues se supone que el proceso puede continuar con otra máquina similar. Presenta la desventaja que tiene muchos movimientos y las rutas son variadas, por lo tanto confusas para pasar por todos los distintos procesos. Los costos de operación son mayores y los de capital menores. La decisión se toma en función de los tipos y volumen de productos.

CUADRO 18. VENTAJAS Y DESVENTAJAS DE LA DISTRIBUCIÓN POR PROCESO

VENTAJAS	DESVENTAJAS
• FLEXIBILIDAD. • MENOR INVERSIÓN EN EQUIPO. • MAYOR FIABILIDAD. • REDUCCIÓN DE LA MONOTONÍA	• BAJA EFICIENCIA EN EL MANEJO DE MATERIALES. • ELEVADOS TIEMPOS DE EJECUCIÓN. • DIFICULTAD EN PLANEACIÓN Y CONTROL. • ALTO COSTO POR UNIDAD DE PRODUCTO. • BAJA PRODUCTIVIDAD.

Algunas de sus ventajas son:

- Flexibilidad en el proceso vía versatilidad de equipos y personal calificado.
- Menores inversiones en equipo.
- Mayor fiabilidad.
- Diversidad de tareas asignadas a los trabajadores reduce la insatisfacción y desmotivación de la mano de obra.

Los inconvenientes que presenta este tipo de distribución son:

- Baja eficiencia en el manejo de materiales.
- Elevados tiempos de ejecución.
- Dificultad de planificar y controlar la producción.

- Costo más elevadopor unidad de producto y
- Baja productividad.

El proceso de análisis se compone, en general, de tres fases:

- Recolección de información.
- Desarrollo de un plan de bloque y
- Diseño detallado de la distribución.

La recolección de información, consiste básicamente en conocer los requerimientos de espacio de cada área de trabajo y el espacio disponible, para lo cual basta con identificar la superficie total de la planta y así visualizar la disponibilidad para cada sección. El desarrollo de un plan de bloque, se refiere a que una vez determinado el tamaño de las secciones, habrá que proceder a su ordenamiento dentro de la estructura existente o a determinar la forma deseada que dará lugar a la construcción de la planta que las englobaría, teniendo en cuenta criterios cuantitativos o cualitativos. Por último, la distribución detallada se basa en la ordenamiento de los equipos y máquinas dentro de cada departamento, obteniéndose una distribución detallada de las instalaciones y todos sus elementos

Distribución por posición fija

Ocurre cuando el producto es demasiado grande o pesado para pasar de un proceso a otro por lo que permanece fijo en un lugar. La maquinaria y la mano de obra, se desplazan hasta el producto para efectuar las operaciones precisas. Esta distribución es característica de la producción por pedidos, como por ejemplo en la construcción de edificios, barcos, tanques, naves, etc.

Este tipo de distribución es apropiada cuando no es posible mover el producto debido a su peso, tamaño, forma, volumen o alguna característica particular que lo impida. Situación que ocasiona Inmovilidad en una posición determinada al material base o principal componente del producto final, de forma que los elementos que sufren los desplazamientos son el personal, la maquinaria, las herramientas y los diversos materiales innecesarios en la elaboración del producto, además de los clientes.

Todo lo anterior ocasiona que el resultado de la distribución se limite, en la mayoría de los casos, a la colocación de los diversos materiales y equipos alrededor de la ubicación del proyecto y a la programación de las actividades.

CUADRO 19. VENTAJAS DE LOS TIPOS DE DISTRIBUCIÓN EN PLANTA

LÍNEA O CADENA	FUNCIONAL O PROCESO	POSICIÓN FIJA
1. MENOR TRANSPORTE DE MATERIALES.	1. MEJOR UTILIZACIÓN DE MAQUINARIA.	1. EL TRANSPORTE DE MATERIALES SE REDUCE AL MÍNIMO.
2. MENOR CANTIDAD DE MATERIALES EN PROCESO Y MENOR ESPACIO TEMPORAL.	2. FLEXIBILIDAD EN LA ASIGNACIÓN DE EQUIPO.	2. ASEGURA CONTINUIDAD POR ASIGNACIÓN DE EQUIPO DE OPERARIOS RESPONSABLES.
3. USO EFECTIVO DE LA MANO DE OBRA POR ESPECIALIZACIÓN, FACILIDAD DE ENTRENAMIENTO Y MAYOR OFERTA A MENOR COSTO.	3. SE ADAPTA A DEMANDA INTERMITENTE CON GRAN VARIEDAD DE PRODUCTOS	3. SE ADAPTA A DEMANDA INTERMITENTE CON GRAN VARIEDAD DE PRODUCTOS.
4. 4.MAYOR FACILIDAD DE CONTROL	4. MAYOR INCENTIVO AL OPERARIO POR LA DIVERSIDAD DE FUNCIONES	4. PERMITE CAMBIOS EN EL DISEÑO DE PRODUCTOS Y SECUENCIAS DE OPERACIONES.
5. SE SIMPLIFICA LA PLANEACIÓN, CONTROL Y SUPERVISIÓN DE LA PRODUCCIÓN.	5. MÁS FÁCIL CONTINUIDAD DE PRODUCCIÓN POR AVERÍA DE MAQUINARIA, ESCASEZ DE MATERIAL O AUSENCIA DE OPERARIOS.	5. ES MÁS FLEXIBLE

Todo lo anterior ocasiona que el resultado de la distribución se limite, en la mayoría de los casos, a la colocación de los diversos materiales y equipos alrededor de la ubicación del proyecto y a la programación de las actividades.

Distribuciones híbridas por células de producción

En el contexto de la distribución en planta la célula puede definirse como una agrupación de máquinas y trabajadores que elaboran una sucesión de operaciones. Este tipo de distribución permite el mejoramiento de las relaciones humanas y de las pericias de los trabajadores. También disminuye el material en proceso, los tiempos de fabricación y de preparación, facilitando a su vez la supervisión y el control visual. Sin embargo, este tipo de distribución potencia el incremento de los tiempos inactivos de las máquinas, debido a que éstas se encuentran dedicadas a la célula y difícilmente son utilizadas de manera ininterrumpida. Para llevar a cabo el proceso de formación de células, se deben seguir tres pasos fundamentales: seleccionar las familias de productos, determinar las células y por último detallar el orden de las células.

Factores que afectan la distribución en planta

En la distribución en planta es necesario conocer la totalidad de los factores que la afectan. La influencia e importancia relativa de estos factores puede variar de acuerdo con cada organización y situación concreta. Estos factores que influyen en la distribución en planta se dividen en ocho grupos:

GRÁFICA 48. FACTORES DE INFLUENCIA DE LA DISTRIBUCIÓN EN PLANTA

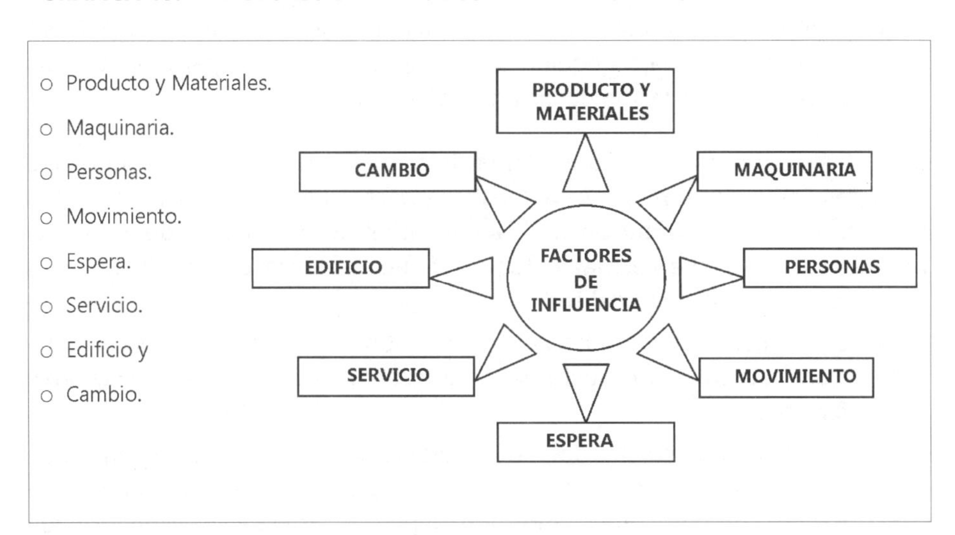

A cada uno de ellos se le analizarán diversas características y consideraciones que deben ser tomadas en cuenta en el momento de llevar a cabo una distribución en planta. al examinar cada uno de los factores se establece un medio sistemático y ordenado para poder estudiarlos, sin descuidar detalles importantes que pueden afectar el proceso de distribución en planta.

FACTOR PRODUCTO Y MATERIALES

Es el factor más importante en una distribución e incluye los siguientes elementos:

- Materias primas.
- Material entrante.
- Material en proceso.
- Productos acabados.
- Material saliente o empaques y embalajes.
- Materiales accesorios empleados en el proceso.
- Piezas rechazadas, a recuperar o repetir.
- Material de recuperación.
- Chatarras, viruta, desperdicios, desechos.
- Materiales para mantenimiento, taller de utillaje u otros servicios.

Su incidencia en la distribución en planta ocurre por:

- Las características físicas y químicas de los materiales y productos como: tamaño, forma, volumen, peso, líquido, sólido, gaseoso, etc.
- La cantidad y volumen de productos y materiales.
- Componentes y frecuencia de operaciones dictan, el ordenamiento de las áreas de trabajo y equipo, las relaciones de unos departamentos con otros y la localización de las áreas de servicio.

El objetivo de producción es transformar, tratar o montar material de modo que se logre cambiar su forma o características, para originar o crear el producto. Por esta razón la distribución de los elementos de producción depende del producto que se desee y el material sobre el que se trabaje. Las consideraciones que afectan el factor material son:

- El proyecto enfocado hacia la producción. Para conseguir una producción efectiva, un producto debe ser diseñado de modo que sea factible fabricar.
- Especificaciones del producto cuidadosas y al día. Errores u olvidos que pueden pasar a los planos o a las hojas de especificación, pueden invalidar por completo una distribución en planta. Las especificaciones deben ser las vigentes. El uso de planos o fórmulas que no estén al día o hayan sido sustituidos por otras, puede conducir a errores que costará semanas para corregirlos.
- Calidad apropiada. La calidad es relativa. No es ni buena ni mala si no se compara con el propósito que se desea.

- Las características físicas y químicas. Cada producto, pieza o material, tiene ciertas características que pueden afectar la distribución en planta.

  Las consideraciones de este factor son:

  - Tamaño. Es importante porque una distribución puede influir de muchas maneras.
  - Forma. Ciertos productos o materiales con formas extrañas e irregulares pueden crear dificultades para manipularlos.
  - El volumen de un producto tendrá un efecto muy importante sobre el manejo y el almacenamiento al planear una distribución. La cantidad de producción es la suma de los pedidos, lotes, hornadas o tandas. En cambio, en una producción en cadena, se debe pensar en términos de velocidad de flujo o ritmo de producción.
  - Peso: Afectará a muchos otros factores de distribución tales como maquinaria, carga de pisos, equipo de transporte, métodos de almacenamiento.
  - Condición. Fluido o sólido, duro o blando, flexible o rígido.
  - Características especiales: Algunos materiales son muy delicados, quebradizos o frágiles. Otros pueden ser volátiles, inflamables o explosivos.
  - Las características especiales tienen que ver con cambios de temperatura, luz solar, polvo, suciedad, humedad, transpiración, atmósfera, vapores y humos, vibraciones, sacudidas o choques.
  - La variedad de productos o materiales, afecta los espacios que se requieran.
  - Número de artículos distintos. Una industria que fabrique un solo producto debe tener una distribución completamente diferente de la que fabrique una gran variedad de artículos. Una buena distribución depende en parte, de lo bien que ésta pueda manejar la variedad de productos o materiales que han de ser trabajados en ella.
  - Cantidad de producción de cada artículo. En la distribución por proceso, variaciones en la cantidad de producción. No es suficiente conocer cifras correspondientes a las cantidades globales, si se tiene que enfrentar con variaciones en el volumen de producción.
  - Materiales componentes y secuencia de operaciones.
  - La secuencia u orden en que se efectúan las operaciones. El cambio de una secuencia o la transformación de alguna operación en un trabajo de sub-montaje, hará variar la distribución. Por lo tanto, el fraccionamiento del producto en grupos principales de montaje,

sub-montajes (o subgrupos) y piezas componentes, constituye el núcleo de todo trabajo de distribución de montaje.

- La secuencia de las operaciones de transformación o de tratamiento. Muchas veces se puede eliminar por entero una operación completa, otras veces se pueden combinar unas con otras y en otros casos es mejor dividir o seccionar una operación.
- Posibilidad de mejoras. Debe comprobarse cada operación, cada inspección, cada transporte y cada almacenamiento y demora. Se debe determinar si es necesaria cada fase de la producción o puede eliminarse alguna, determinar si las fases se pueden combinar entre sí, o dividirse para un mejor provecho, luego determinar si la secuencia puede ser cambiada para mejorar la producción y por último comprobar las posibilidades de mejorar o simplificar el método actual.
- Piezas y materiales normalizados o intercambiables. La normalización de piezas y materiales puede proporcionar grandes economías de producción. Cuando es posible intercambiar piezas similares, los costos de montaje decrecen. Además, existe una infinidad de maneras de combinar piezas o materiales normalizados.

FACTOR MAQUINARIA

La información sobre la maquinaria (incluyendo las herramientas y equipos) es fundamental para una distribución apropiada de la misma. Los elementos de la maquinaria requeridos son:

- Máquinas de producción.
- Equipo de proceso o tratamiento.
- Dispositivos especiales.
- Herramientas manuales y eléctricas, moldes, patrones, plantillas, montajes.
- Aparatos y galgas de medición y de comprobación, unidades de prueba.
- Máquinas y equipos de manejo de materiales.
- Controles o cuadros de control.
- Maquinaria de repuesto o inactiva.
- Maquinaria para mantenimiento.
- Taller de utillaje u otros servicios.

Las consideraciones sobre el factor maquinaria incluyen:

- Proceso o método. Los métodos de producción son el núcleo de la distribución física, ya que determinan el equipo y la maquinaria a usar, cuya disposición, a su vez, debe ordenarse. La mejora de métodos y la distribución en planta van estrechamente unidos.
- Maquinaria. El escoger un proceso y la selección de maquinaria no es generalmente una parte del trabajo de distribución. Usualmente, los ingenieros del proceso seleccionan la maquinaria cuando escogen el proceso que mejor se adapta al producto. Esta selección de la maquinaria y del utillaje óptimo, puede ser el resultado de un balance económico que puede afectar por entero a la economía de la operación industrial. Siempre que se tenga un elemento importante de equipo, se debe centrar la máxima atención en el mismo, determinando su capacidad, cómo encajará en las condiciones ya existentes, y cómo cambiar el que ya se tiene por el nuevo. Los puntos a tener en cuenta en la selección del proceso, maquinaria y equipo son los siguientes:
  - Volumen o capacidad.
  - Calidad de la producción.
  - Costo inicial de instalación.
  - Costo de mantenimiento o de servicio.
  - Costo de operación.
  - Espacio requerido.
  - Garantía.
  - Disponibilidad.
  - Cantidad y clase de operarios requeridos.
  - Riesgo para las personas, material y otros elementos.
  - Facilidad de reemplazo o reposición.
  - Incomodidades inherentes (ruidos, olores, etc).
  - Restricciones legislativas.
  - Enlace con maquinaria y equipo ya existente.
  - Necesidad de servicios auxiliares.

Para determinar el número de máquinas necesarias y la capacidad de cada una, se requiere:

- Los tiempos de operación de las diversas máquinas, se obtienen de los ingenieros de venta de la maquinaria.
- El estudio de tiempos.

- Los cálculos de velocidades de corte, avances, golpes por minuto, etc.

$$\text{N° Máquinas Requeridas} = \frac{\text{Piezas por hora para cubrir las necesidades de producción}}{\text{Piezas por hora y máquina}} = \frac{\text{Tiempo de operación por hora y máquina.}}{\text{Tiempo por pieza para cubrir necesidades de producción}}$$

- Al seleccionar la maquinaria adecuada, se debe asegurar el poder disponer de la cantidad de máquinas necesarias del tipo adecuado, cuando se necesiten.
- Utillaje y equipo. Se debe procurar obtener el mismo tipo de información que para la maquinaria en proceso.
- El tipo de utillaje y equipo necesarios: El ingeniero de distribución deberá averiguar si el utillaje y equipo escogido por el ingeniero de proceso le forzarán de algún modo a realizar una distribución menos favorable, que podría evitarse. Un equipo estándar puede facilitar el trabajo de la distribución. Unas dimensiones estándar también simplifican la tarea de proyectar una distribución. El tiempo requerido para medir cada unidad de manera individual y para realizar modelos a escala, se reduce en gran medida. El tamaño y forma óptima de las unidades estándar variará para cada industria.
- Cantidad de utillaje y equipo requerido: La selección de maquinaria, herramientas y equipo va directamente unida a la selección de operaciones y secuencias.
- Utilización de la maquinaria.
- Operaciones equilibradas: Una buena distribución deberá usar las m{aquinas en su completa capacidad. Es menos sensible perder dinero a través de la mano de obra ociosa o de una manipulación excesiva del material o por un espacio de almacenamiento atestado, siempre y cuando se consiga mantener la maquinaria ocupada. Los métodos para equilibrar, aplicables a las operaciones de transformación del material son:
  - Mejora de la operación. Muchas veces se puede mejorar la producción de una máquina, éste es el mejor modo de equilibrar las cadenas de transformación de material. Concentrar la atención en las operaciones que producen embotellamiento y trabajar en ellas.
  - Cambio de las velocidades de las máquinas. Es, a veces, fácil y rápido, cuando se puede ajustar la velocidad de una operación lenta a la de la cadena más rápida. Cambiar la velocidad de una máquina de modo

que sea más lenta para que así se ajuste a la velocidad de las otras operaciones, puede ser práctico.

- Acumulación de material y actuación adicional de las máquinas más lentas durante horas extras o turno extra.
- Desviación del exceso de piezas a otras máquinas fuera de la cadena.
- Multitud de artículos o combinación de cadenas. La teoría consiste en combinar los tiempos de inactividad de las máquinas, para los diversos productos, con el fin de lograr mayor índice de utilización.
- Relación hombre - máquina: El problema de utilización del hombre y de la máquina se centra en la determinación del número de máquinas que puede manejar un operario.

- Requerimientos relativos a la maquinaria. Espacios-forma y altura: El trabajo de distribución en planta es el ordenamiento de ciertas cantidades específicas de espacio, en relación con la forma de las máquinas (larga y estrecha, corta y compacta, circular o rectangular), afecta la distribución de las mismas y su relación con otra maquinaria. Además es preciso conocer las dimensiones de cada máquina, la longitud, la anchura y la altura. Peso: Algunos procesos requieren pisos resistentes.
- Requerimientos del proceso: Muchos procesos requieren atenciones especiales como por ejemplo ventilación.

FACTOR DE PERSONAL

Como factor de producción, el hombre es mucho más flexible que cualquier material o maquinaria. Se le puede trasladar, se puede dividir o repartir su trabajo, entrenarle para nuevas operaciones y, generalmente, ubicarlo en cualquier distribución que sea apropiada para las operaciones deseadas. El trabajador debe ser considerado como el principal factor de producción. Los elementos y particularidades del factor hombre, abarcan:

- Mano de obra directa.
- Jefes de equipo.
- Jefes de sección o encargados.
- Jefes de servicio.
- Personal indirecto o de actividades auxiliares.
- Condiciones específicas de trabajo y seguridad.
- Clase y cantidad de operarios.
- Turnos de trabajo.
- Puestos de trabajo.
- Satisfacción del operario (retribución).

Su incidencia radica en:

- Distribución confortable, iluminación, ventilación, calefacción, control del ruido y la vibración.
- Señalización, accesos adecuados, salidas de emergencia, extintores, primeros auxilios, etc.
- Diseño de los puestos de trabajo donde deben usarse:
  - Los principios de economía de movimientos.
  - Los diagramas hombre – máquina.
  - Los diagramas mano derecha – mano izquierda.
  - Satisfacción de expectativas económicas.
- Consideraciones sobre el factor de personal. En cualquier distribución debe considerarse la seguridad de los trabajadores y empleados. Las condiciones específicas de seguridad que se deben tener en cuenta son:
  - Suelo libre de obstrucciones y que no resbaladizo.
  - Situar operarios retirados de partes móviles de la maquinaria no debidamente resguardada.
  - Ningún trabajador debe estar situado debajo o encima de alguna zona peligrosa.
  - Los operarios no deban usar elementos especiales de seguridad.
  - Accesos adecuados y salidas de emergencia bien señalizadas.
  - Elementos de primeros auxilios y extintores de fuego, ubicados cercanos.
  - Evitar que existan en las áreas de trabajo ni en los pasillos, elementos de material o equipo puntiagudos o cortantes, en movimiento o peligrosos.
  - Cumplimiento de todos los códigos y regulaciones de seguridad.
- En cuanto a las condiciones de trabajo, la distribución debe ser confortable para todos los operarios. En estas condiciones de bienestar influyen: la luz, ventilación, calor, ruido, vibración.

FACTOR MOVIMIENTO

Tiene en cuenta los procesos de operación y su incidencia radica en:

- El transporte relacionado con todo el manejo de productos y materiales e incide en la distribución por áreas requeridas para accesos como: pasillo, rampas, sótanos, embarques, parqueo, etc.
- Resistencia de paredes y pisos.

- Manejo de materiales, principalmente en lo referente a:
  - Reducir tiempos en el manejo de materiales.
  - Usar equipo mecanizado o automático.
  - Uso adecuado del equipo de manejo de materiales.
  - Manejo eficiente de los materiales utilizando los principios de manejo de materiales.

FACTOR ESPERAS

- Las demoras o esperas comprenden las áreas de recepción de materiales y productos, áreas para esperas o demoras durante el proceso.
- El almacenamiento.
- La inspección.
- La recepción de materias primas y materiales.
- Los despachos del producto terminado.

LOS SERVICIOS

Comprenden los servicios para el personal como:

- Oficinas, cafetería.
- Servicios sanitarios y de seguridad.
- Recreación.
- Capacitación y desarrollo.
- Servicios relativos al material:
- Laboratorios de calidad.
- Recepción, almacenamiento de materiales y despacho de productos terminados.
- Control de producción, rechazo, norma y eliminación de desperdicios.
- Servicios relativos a la maquinaria:
  - Talleres de mantenimiento.
  - Manejo de combustibles y lubricantes.
  - Conservación de instalaciones.

FACTOR EDIFICIOS

Con mucha frecuencia, el diseño de la distribución de una planta se inicia con el sistema de circulación y flujo alrededor del cual se disponen los recursos y servicios.

El flujo de los materiales es uno de los factores que determina el tipo de distribución porque informa sobre la cantidad de material empleado en el proceso, el espacio que el proceso ocupa, los cuellos de botella y la duración o tiempo total de la producción. El flujo puede ser horizontal o vertical.

FLUJOS HORIZONTALES

FLUJO EN I

Es la forma de planta más simple

FLUJO EN S: Se adopta cuando el proceso de producción es largo y precisa recorrido en zigzag que ocupe el espacio de la planta

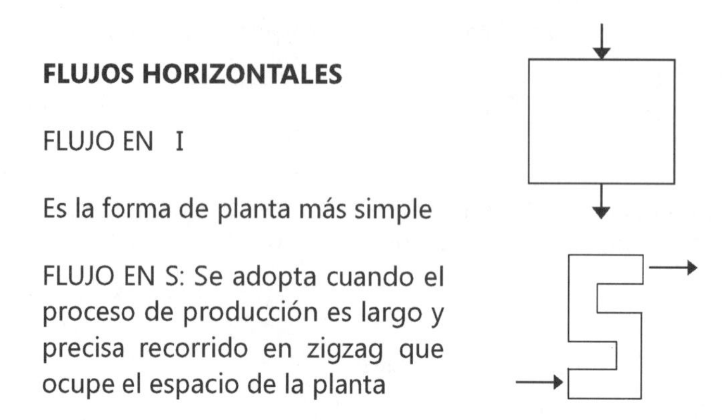

FLUJO EN O : Se emplea cuando las operaciones se realizan sobre mesas rotatorias pasando de una fase a otra y luego a otro círculo de operaciones.

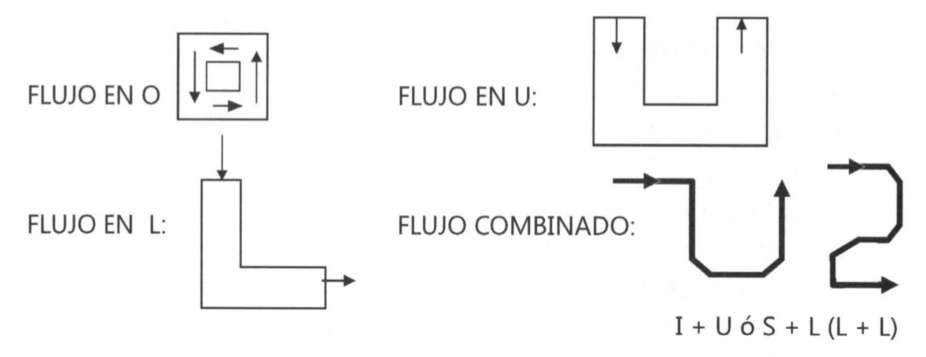

I + U ó S + L (L + L)

FLUJOS VERTICALES

PROCESO ASCENDENTE Y DESCENDENTE

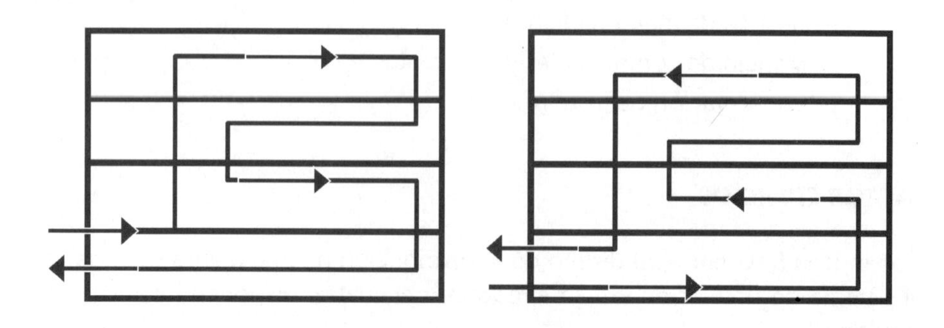

En procesos descendentes hay que transportar las materias primas hasta la última planta, mientras que en los procesos ascendentes se acumulan en ella los productos finales.

ELEVACIÓN CENTRALIZADA Y DESCENTRALIZADA

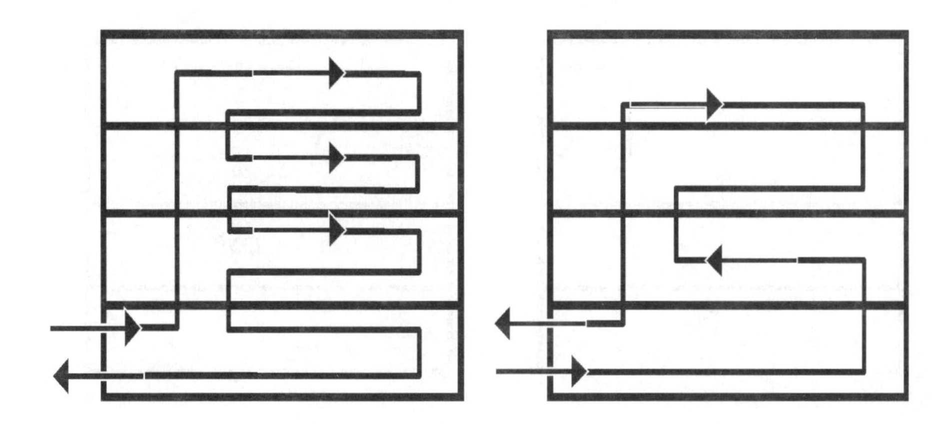

En la elevación centralizada todos los sistemas de transporte se concentran en un extremo del edificio, lo que facilita la verificación y el mantenimiento del equipo. Con la elevación descentralizada se puede reducir la cantidad de material y alcanzar mayor flexibilidad en el diseño de los circuitos, pero implica mayores costos de instalación, mantenimiento y espacio.

FLUJO UNIDIRECCIONAL Y RETROACTIVO

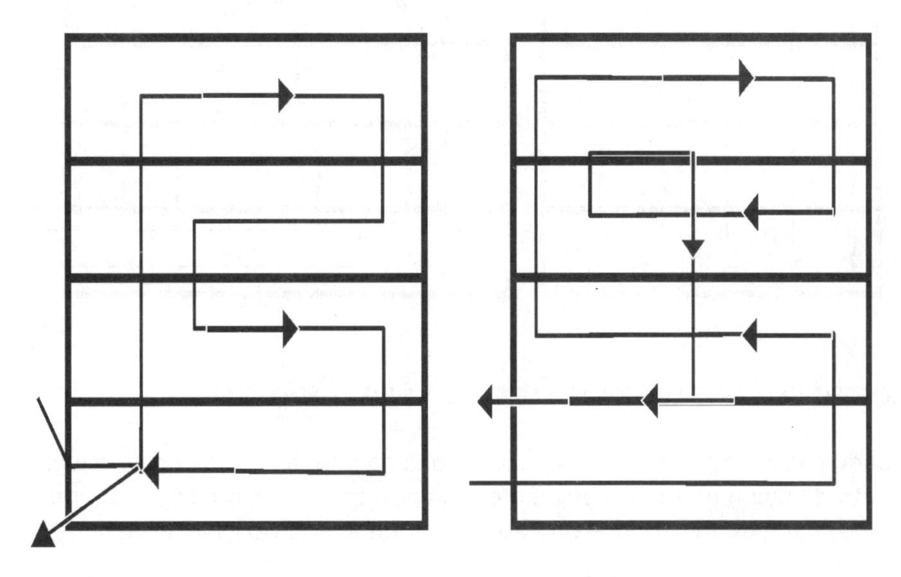

FLUJO VERTICAL E INCLINADO

Se desarrolla por medio de elevadores, canales de descarga y émbolos. El flujo inclinado que usa bandas de transmisiones, resulta más adaptable a los diversos tipos.

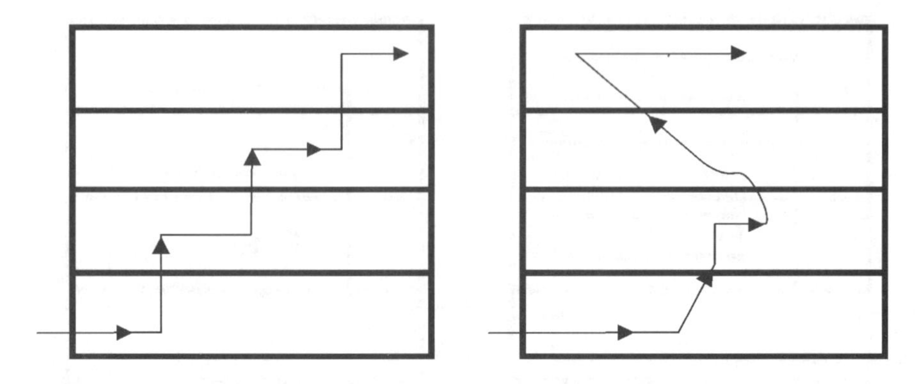

FLUJO SIMPLE O MÚLTIPLE

Un sistema de flujo simple consta de un solo proceso. En un sistema de circuito múltiple, varios circuitos de producción fluyen al proceso de montaje, convergiendo en un único circuito. También el material puede dividirse en varias corrientes y dirigirse a procesos distintos para conformar diversos productos.

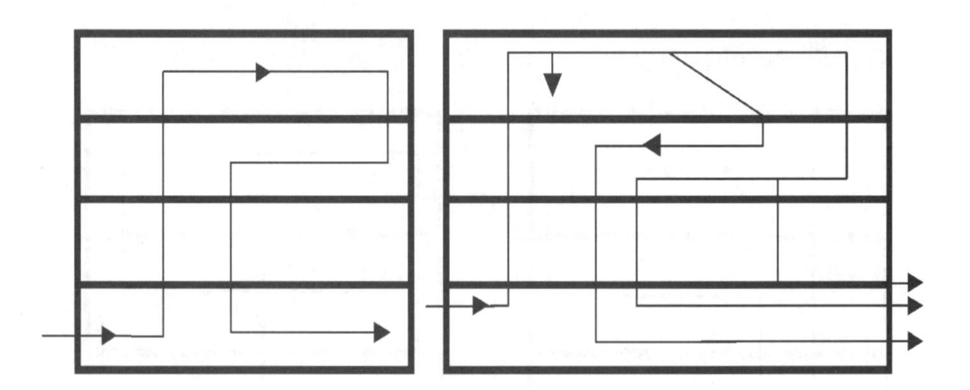

PROCESO CON DOS EDIFICIOS, ELEVADO A NIVEL DEL SUELO

Cuando son varios los edificios que integran una misma línea de producción, el circuito de unión puede hacerse en el primer piso o en uno alto. En el primer piso se puede usar cuando el proceso del segundo edificio es ascendente.

El primer piso alto se usa cuando el proceso es descendente. Tiene la ventaja de dejar libre el primer piso para uso de comercio y almacenamiento de productos

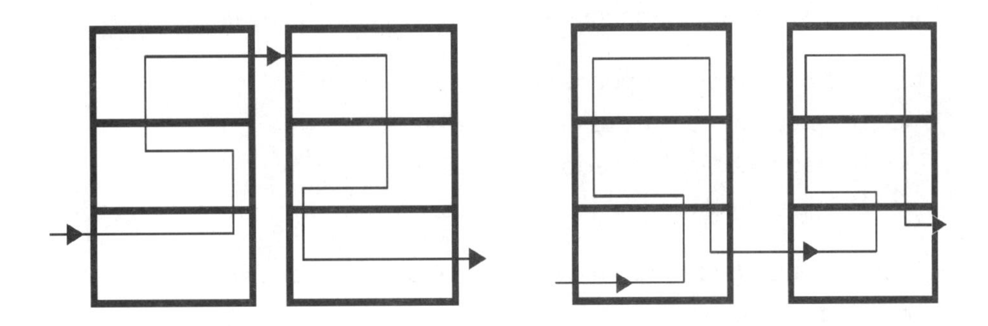

FACTOR DE CAMBIO

PLAN GUÍA EN LA DISTRIBUCIÓN EN PLANTA

1. Planear el todo y después los detalles. Ir de lo macro a lo micro, primero determinar las necesidades generales conforme al volumen de producción previsto. Después establecer la relación de cada una de las áreas, considerando el movimiento del material para lograr un patrón básico de flujo. Luego detallar una distribución general de conjunto.

2. Planear primero la distribución ideal y luego la práctica.
   - Deberá ser planeada como si no existiese nada en la planta y después, intervendrán los factores que limitan la distribución.

3. Seguir los ciclos de distribución y superponer las fases.
   - Seleccionar una distribución integrada.
   - Realizar una distribución de conjunto.
   - Establecer un plan de distribución detallado.
   - Planear e instalar la distribución.

4. Planear el proceso y la maquinaria a partir de las necesidades del material. El diseño del producto, la materia prima y las especificaciones de fabricación determinan, el tipo de proceso a emplear y éste junto con el conocimiento de las cantidades a producir, nos permitirán seleccionar la clase de maquinaria.

DISEÑO Y ESPECIFICACIÓN DEL PRODUCTO.	+	CANTIDAD DE PRODUCCIÓN.	=	CLASE Y CANTIDAD DE MAQUINARIA, UTILLAJE Y EQUIPO.

Planear la distribución basándose en el proceso y la maquinaria.

El proyecto de distribución puede empezar una vez conocidos:

- Los procesos adecuados de producción.
- Los requisitos de instalación del equipo.
- El flujo o circulación de los materiales.

5. Planear la distribución con base en el proceso y la maquinaria.
   - Procesos de producción idóneos.
   - Requisitos del equipo (pesado, voluminoso, etc.)
   - Movimiento del material según el proceso.

6. Proyectar el edificio a través de la distribución. La construcción del edificio para una factoría deberá proyectarse conforme a la distribución en una planta prevista. Cuando la factoría ya está construida, es con frecuencia el factor que limita la distribución.

7. Planear con una clara visualización.
   - Trazar alternativas.
   - Análisis y evaluación.
   - Funcionamiento.
   - Dibujos, modelos, maquetas.
   - Presentación.

8. Planear con la colaboración del personal de la empresa. Se debe tener en cuenta a todos y cada uno de los departamentos, solicitarle las ideas e incluirlos dentro del proyecto. Así, más tarde se ahorrarán esfuerzos en convencerlos del proyecto o en cambiar aquellas partes que no disfruten de su aceptación.

9. Comprobar la distribución. Desarrollado el proyecto de distribución general se debe:
   - Comprobar el proyecto, utilizando una hoja de los objetivos de la distribución de la planta. Esta comprobación puede asegurar que la distribución está bien planeada o que hay futuras mejoras a realizar.

- Lograr la aprobación por el personal competente del proyecto de distribución general, antes de iniciar el planeamiento de los detalles.

10. Vender el proyecto de distribución. Al igual que con cualquier producto o idea, la distribución en planta no tiene ningún valor hasta tanto alguien lo compre, es decir, la acepte. Por tanto es necesario hacer resaltar:
    - Los beneficios del proyecto de distribución
    - La colaboración y participación del personal.
    - La preparación de la presentación para lograr la financiación que comprende:
    - Planos, diagramas de flujo y proceso, perspectivas, diseño del producto, esquemas del proceso, etc.
    - Cifras de costos y economías.
    - Secuencia de la realización con la distribución.

11. Instalaciones de la distribución en planta. La información necesaria para instalar una distribución en planta incluye generalmente:
    - Lista de maquinaria y equipo a ser instalados, fijando etiquetas a cada uno.
    - Un plan de movimientos y traslados.
    - Un plano que muestre la forma como cada máquina deberá ser desconectada, conectada, trasladada y situada.
    - Un plano de la distribución explicando detalladamente las nuevas ubicaciones.
    - Preveer equipo de traslado.
    - Programa de instalación para evitar paradas en producción, demoras en entregas al cliente, accidentes al personal, daños a los productos y materiales.
    - Asegurar buenas comunicaciones.
    - Trasladar el equipo, ojalá sin desmontarlo.
    - Instalar y verificar el funcionamiento.
    - Poner en marcha.
    - Inspeccionar y comprobar instalación y funcionamiento final.

CUADRO 20. HOJA DE COMPROBACIÓN DE LA DISTRIBUCIÓN EN PLANTA

OBJETIVOS Y CARACTERÍSTICAS	SI	NO
• ¿DA LUGAR A UN PRODUCTO MEJOR?		
• ¿REDUCE COSTOS?		
• ¿MEJORA LA MORAL?		
• ¿INCREMENTA LA PRODUCCIÓN?		
• ¿LIBERA SUPERFICIE?		
• ¿MEJORA LA ADMINISTRACIÓN?		
• ¿REDUCE DESPERDICIOS?		
• ¿MEJORA LAS CONDICIONES SANITARIAS?		
• ¿INTEGRA MANO DE OBRA, MATERIALES, MÁQUINAS Y MÉTODOS?		
• ¿EL FLUJO DE TRABAJO ES RACIONAL?		
• ¿LOS TRANSPORTES Y MOVIMIENTOS SON MÍNIMOS?		
• ¿LA SEÑALIZACIÓN ES APROPIADA?		
• ¿EL AMBIENTE FÍSICO ES AGRADABLE?		
• ¿DISMINUYE EL MANTENIMIENTO?		
• ¿TIENE FLEXIBILIDAD PARA CAMBIOS, MEJORAS, AMPLIACIONES, REFORMAS, ETC.?		
• ¿HAY BENEFICIOS SEGUROS?		
• ¿HAY BENEFICIOS POR IMPUESTOS?		

EJERCICIOS

1. ¿Puede esperarse que los tipos de distribución en planta satisfagan los factores que influyen sobre la distribución en planta? Explique.
2. ¿Se puede esperar que ciertas distribuciones sacrifiquen algunas ventajas en beneficio de su funcionalidad? Explique.
3. ¿Dónde se requiere una mayor inversión de capital, en una distribución en línea o en una por procesos? Explique.
4. ¿La mano de obra es más flexible en una distribución en planta en línea o por procesos? Explique.
5. La manipulación y el transporte no altera la forma ni las características del material que se traslada o maneja. Tampoco añade ningún material por lo tanto, no agrega valor al producto. ¿Por qué el movimiento y el transporte representan un factor tan importante en la distribución en planta?

PROBLEMAS

1. ¿Haga la distribución en planta de un restaurante universitario para atender eficiente y eficazmente un número importante de estudiantes?
2. Conforme a los principios de una buena distribución en planta ¿cuál debería ser el orden de prioridad para las siguientes industrias?

   Una planta de confecciones. Un silo para almacenar granos.
   Una industria metalmecánica. Una fábrica de griferías.
   Una fábrica de cerámica. Una fábrica de muebles
3. Establezca una distribución en planta adecuada para una fábrica de muebles que atiende artículos construidos por encargo del cliente, y que, al mismo tiempo, le permita fabricar lotes económicos de cantidades mayores.

CAPÍTULO V

ESTUDIO DE MOVIMIENTOS

El ser humano

El ser humano es el factor dominante en el diseño del trabajo, pues tiene características fisiológicas, sicológicas y sociológicas que definen tanto sus habilidades como sus limitaciones en el trabajo.

El conocimiento de las capacidades humanas ayuda a mejorar las observaciones, evaluarlas, desearlas, diseñarlas y producirlas; tal conocimiento, caracteriza a las personas como benefactores y componentes de los sistemas que ellas mismas diseñan, construyen y emplean.

El sistema persona y máquina merece especial atención pues cada uno tiene habilidades para aprovecharlas y limitaciones para reducirlas, que se deben estudiar.

Las reflexiones que podemos extraer del cuadro siguiente, representa la necesidad de aprovechar en forma más inteligente a las personas, entendiendo que todo aquello que puede hacer una máquina no lo debe hacer una persona, siempre y cuando no constituyan desperdicios económicos.

En la ejecución del trabajo, las funciones de la persona se pueden distribuir dentro de tres clasificaciones generales:

1. Recibir información a través de los órganos sensoriales como vista, tacto, oído, olfato y gusto.

2. Tomar decisiones basadas en la información recibida y almacenada en la memoria del individuo.

3. Realizar una acción basada en las decisiones.

Diseño del trabajo

El diseño del trabajo consiste en determinar la combinación óptima de las tareas y de los métodos, para que den como resultado la cantidad de trabajo esperado. Es evidente que en esta cantidad de trabajo juega un papel importante el proceso, la máquina, la disposición física, el medio ambiente, el tiempo, el transporte, el diseño del producto, el lote de producción, la destreza del trabajador, la capacitación y el grado de inversión comprometido. Su efectividad debe reflejarse en la subsistencia del sistema, la ganancia obtenida y el grado de satisfacción.

CUADRO 21. HABILIDADES Y LIMITANTES DE LAS PERSONAS Y LAS MÁQUINAS

LA PERSONA EXCEDE A LAS MÁQUINAS	LA MÁQUINA EXCEDE A LAS PERSONAS
1. PERCIBIR PEQUEÑAS CANTIDADES DE LUZ Y SONIDO.	1. RESPONDER RÁPIDAMENTE A SEÑALES DE CONTROL.
2. RECIBIR Y ORGANIZAR PATRONES DE LUZ Y SONIDO	2. APLICAR GRAN FUERZA EN FORMA CONTINUA.
3. APRENDER, APROVECHAR LA EXPERIENCIA.	3. EJERCER FUERZA CONSIDERABLE COMO LA QUE SE REQUIERE PARA CORTAR Y TROQUELAR METALES.
4. IMPROVISAR Y USAR PROCEDIMIENTOS FLEXIBLES.	4. EJECUTAR DIFERENTES FUNCIONES SIMULTÁNEAMENTE.
5. GENERALIZAR.	5. EJERCER UNA FUERZA EN FORMA SUAVE Y/O PRECISA.
6. ENFRENTARSE A ACONTECIMIENTOS INESPERADOS.	6. REALIZAR CÁLCULOS A ALTA VELOCIDAD.
7. PENSAR CREATIVAMENTE.	7. REALIZAR OPERACIONES RUTINARIAS, REPETITIVAS SIN FATIGA, ABURRIMIENTO O INSEGURIDAD.
8. DARSE CUENTA DE LOS ACONTECIMIENTOS QUE OCURREN A SU ALREDEDOR.	8. MOVERSE A ALTAS VELOCIDADES.
9. LA PERSONA ES UNA HERRAMIENTA, POR ASÍ DECIRLO, FÁCILMENTE DISPONIBLE, EXTREMADAMENTE FLEXIBLE, CAPAZ DE MUCHAS Y DIVERSAS APLICACIONES, MENOS COSTOSO QUE EL USO DE MÁQUINAS PARA EL MISMO PROPÓSITO.	9. EL HECHO QUE, LAS MÁQUINAS PUEDAN PRODUCIR CON MAYOR EFICIENCIA, VELOCIDAD, CONSISTENCIA Y CALIDAD SIGNIFICA QUE SI EL VOLUMEN DE PRODUCCIÓN ES LO SUFICIENTEMENTE ALTO, SE JUSTIFICA EL COSTO DE INVERSIÓN EN MÁQUINAS.
10. ALMACENAR GRANDES CANTIDADES DE INFORMACIÓN DURANTE PERIODOS LARGOS Y RECORDAR FACTORES RELEVANTES EN UN TIEMPO APROPIADO.	10. LAS MÁQUINAS EJECUTAN LAS TAREAS COMO EMPLEADOS INCONDICIONALES.
11. RAZONAR INDUCTIVAMENTE.	11. ALMACENAR INFORMACIÓN BREVE Y DESPUÉS BORRARLA COMPLETAMENTE
12. HACER USO DE SU JUICIO.	12.
13. DESARROLLAR CONCEPTOS Y CREAR MÉTODOS.	13.
14. LAS PERSONAS REACCIONAN A SU MEDIO PSICOLÓGICO Y SOCIOLÓGICO, ASÍ COMO A SU MEDIO FÍSICO.	14. LAS MÁQUINAS REACCIONAN PRINCIPALMENTE A FACTORES FÍSICOS.

El diseño del trabajo óptimo, mejora los niveles de calidad, elimina la fatiga, los riesgos o peligros, incrementa la satisfacción de las personas, elimina los desperdicios y movimientos innecesarios y en consecuencia incrementa la productividad. Mejora la productividad cuando:

- El diseño del trabajo mejora los niveles de calidad.
- Elimina los elementos de fatiga en un trabajo.
- Elimina los peligros.
- Se diseñan tareas que incrementan la satisfacción del empleado.
- Compatible con el medio ambiente.
- El diseño de trabajo tiene que ver con su contenido y se divide en:

1. Diseño del producto que comprende:
   - Diseño de las máquinas y herramientas.
   - Distribución física del trabajo.
   - Cuotas de producción.
   - Destreza del trabajador.
   - Satisfacción.

2. Métodos de ejecución como:
   - Control del medio ambiente.
   - Medidas fisiológicas del cuerpo.
   - Factores sicológicos y principios de acuerdo.
   - Flujo.
   - Programación.

GRÁFICA 49. DISEÑO DEL TRABAJO

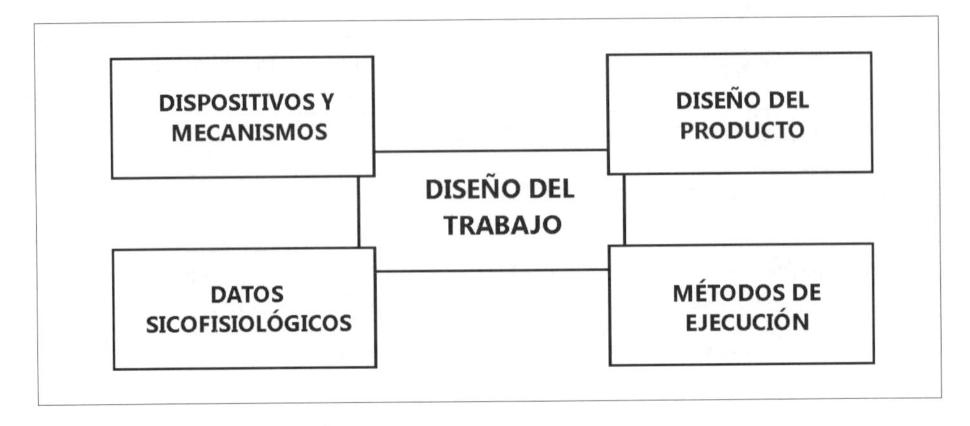

3. Datos sicofisiológicos:
   - Áreas normales de trabajo.
   - Diseño de implementos, escalas y exhibidores.
   - Principios del uso efectivo de las manos y del cuerpo.
   - Datos antropológicos, como medida del tamaño físico del cuerpo humano y su fortaleza física.
   - Diseño de puestos de trabajo, altura de sillas y mesas.
   - Límites de áreas de trabajo con trabajador sentado o de pié.
   - Fortaleza y fuerza de los movimientos del cuerpo.
   - Velocidad y precisión.

4. Entre los dispositivos y mecanismos modernos que el hombre ha inventado para compensar sus limitaciones físicas y mentales tenemos:
   - Medios para aumentar sus facultades sensitivas: el radar, el altoparlante, el telescopio, el termómetro, etc.
   - Medios para ampliar sus facultades mentales: calculadoras, computadoras, grabadoras.
   - Medios para aumentar sus facultades motrices: la palanca, la prensa, cilindros neumáticos e hidráulicos, la bicicleta, el motor, el vehículo, el avión, etc.

Una elección inteligente entre el hombre y la máquina para una tarea dada, requiere información cuantitativa, experiencia, costos y métodos de lo que se puede esperar del hombre razonablemente. Pero la información disponible al respecto, es escasa, dispersa e inédita.

Integrar al hombre dentro del proceso productivo y al mismo tiempo determinar el procedimiento de trabajo, distribuir la estación de trabajo y diseñar el equipo óptimo, requiere la aplicación de algunos principios.

Una actitud es una creencia, opinión, convicción o tendencia emocional que caracteriza a todos y cada uno de los eventos donde intervienen las personas. La actitud es el valor con el cual se juzgan las sensaciones e identifican las personas. Ya sea consciente o no, las personas presentan actitudes de gusto o disgusto, de aprobación o desaprobación, de deseo o no, o la sensación positiva o negativa con respecto a todo lo que encuentra.

La habilidad para razonar, juzgar y manejar ideas es el más grande y valioso talento desarrollado por las personas.

CUADRO 22. FUNCIÓN DE APOYO AL SER HUMANO

FUNCIÓN	DESCRIPCIÓN FÍSICA	MEDIO AMBIENTE
DATOS DEL MEDIO AMBIENTE.	ESTÍMULO. ENERGÍA.	ALTO, ALARMA, SIRENA, ONDAS LUMINOSAS, ONDAS SONORAS.
CAPTACIÓN DE DATOS.	ÓRGANOS RECEPTORES Y SENSORIALES.	TACTO, OJOS, OÍDOS, OLFATO, GUSTO.
PROCESAMIENTO DE DATOS.	IDENTIFICACIÓN, INTERPRETACIÓN, DISCRIMINACIÓN Y DECISIÓN.	COLOR, FORMA, TONO, INTENSIDAD. ALTO, SIRENA, ALARMA. MERECEN ATENCIÓN Y ACCIÓN. DETENER, TOMAR ACCIÓN.
TRANSMISIÓN DE DATOS.	EJECUCIÓN.	APLICACIÓN DE FUERZA A LOS FRENOS. REPORTAR CONDICIONES.

Diseño de los lugares de trabajo y máquinas que se ajusten mejor al operador humano

Los pasos que deben darse al diseñar una instalación son:

1. Decidir lo que debe hacerse para fabricar el producto.

2. Elegir las operaciones que han de efectuarse con máquina, con personas o con una combinación de los dos. El hombre es una herramienta por así decirlo, fácilmente disponible, extremadamente flexible, capaz de muchas y diversas aplicaciones, basta un período de entrenamiento y práctica, frecuentemente menos costoso que la fabricación de máquinas. Ventajoso en tareas que impliquen pequeño volumen de producción. La máquina puede producir con mayor eficiencia, velocidad, consistencia y calidad principalmente cuando los volúmenes son altos.

3. Diseñar las funciones que realizarán las personas y el trabajo de las máquinas. Se dividirán según el grado de seguridad, eficiencia, eficacia y productividad que represente una ventaja.

CUADRO 23. GRADO DE AUTOMATIZACIÓN

GRADO DE TRABAJO	GRADO DE AUTOMATIZACIÓN
1	TRABAJO MANUAL SIN HERRAMIENTAS.
2	TRABAJO CON HERRAMIENTAS MANUALES COMO PINZAS, ALICATES, ATORNILLADOR, ETC.
3	TRABAJO CON HERRAMIENTAS MANUALES ELÉCTRICAS, COMO ATORNILLADOR ELÉCTRICO, TALADRO MANUAL, ETC.
4	TRABAJO CON HERRAMIENTAS ELÉCTRICAS GUIADAS, COMO TALADRO DE ÁRBOL.
5	TRABAJO CON HERRAMIENTAS ELÉCTRICAS GUIADAS CON CICLO CONTROLADO MECÁNICAMENTE, COMO TORNOS, FRESADORAS, ETC.
6	TRABAJO CON HERRAMIENTAS ELÉCTRICAS GUIADAS, CON CICLO CONTROLADO MECÁNICAMENTE, CARGA Y DESCARGA MECÁNICA, COMO UNA EMBOTELLADORA.
7	TRABAJO CON HERRAMIENTAS ELÉCTRICAS GUIADAS, CON CICLO CONTROLADO MECÁNICAMENTE, CARGA Y DESCARGA MECÁNICA, AUTO VERIFICACIÓN Y AUTO CORRECCIÓN.
8	TRABAJO AUTOMATIZADO COMPLETAMENTE.

4. La actividad de las personas y de las máquinas varía desde un extremo en que todo el proceso es manual, a otro donde todo es automático.
5. Utilizar los datos sicofisiológicos para fijar los límites de las áreas normales de trabajo, escalas, exhibidores y establecer los principios del uso efectivo de las manos y del cuerpo humano.

Los sicólogos y fisiólogos, después de la segunda guerra mundial, se volcaron sobre la industria y recopilaron gran número de datos del operador humano y su relación con la máquina.

CUADRO 24. DATOS ANTROPOMÉTRICOS

	ESTATURA EN METROS	
	HOMBRE	MUJER
ESTATURA	1.73	1.58
ALTURA SENTADO ERECTO	0.91	0.85
ANCHO DEL HOMBRO	0.45	0.335
ANCHO DE CADERAS SENTADO	0.383	0.365
ALTURA DE LA ESPALDA	0.715	0.59

	ESTATURA EN METROS	
	HOMBRE	MUJER
ANTEBRAZO	0.47	0.43
ALCANCE DEL BRAZO AL FRENTE	0.88	0.795
ALCANCE TOTAL DEL BRAZO	1.788	-
ALTURA DEL CODO	0.24	0.243
NALGA- RODILLA	0.59	0.565

Uno de los campos de la fisiología que suministra datos básicos para los diseñadores del trabajo, es la antropometría que trata sobre la medición del tamaño del cuerpo humano, su fortaleza física, etc. Con estos datos se pueden especificar los límites del área de trabajo, la altura de las sillas y mesas de trabajo y el diseño de máquinas, de manera que no se agote la fortaleza física del trabajador.

Límite de las áreas de trabajo

La mayoría de los trabajos se ejecutan mientras el trabajador está sentado o de pié frente a un banco, mesa o escritorio.

Las áreas máximas y normales de trabajo se muestran en la figura siguiente.

GRÁFICA 50. AREAS DE TRABAJO

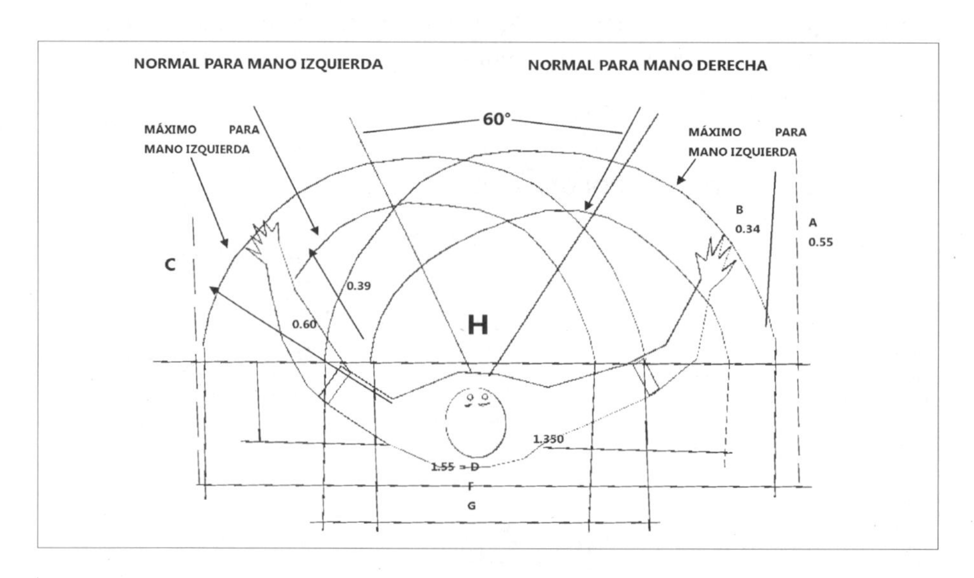

CUADRO 25. PLANO HORIZONTAL

	MUJER / ESTATURA = 1.59 M.	HOMBRE / ESTATURA = 1.68 M.
A	0.48	0.55
B	0.30	0.34
C	0.20	0.24
D	1.37	1.55
E	1.10	1.35
F	0.64	0.72
G	0.55	0.60
H	0.20	0.14

Los movimientos que exceden del área máxima de trabajo, exigen que se mueva el tronco del cuerpo y en operaciones repetitivas, estos movimientos son agotadores.

Las medidas similares en planos verticales sirven de guía tridimensional para localizar materiales, herramientas y controles.

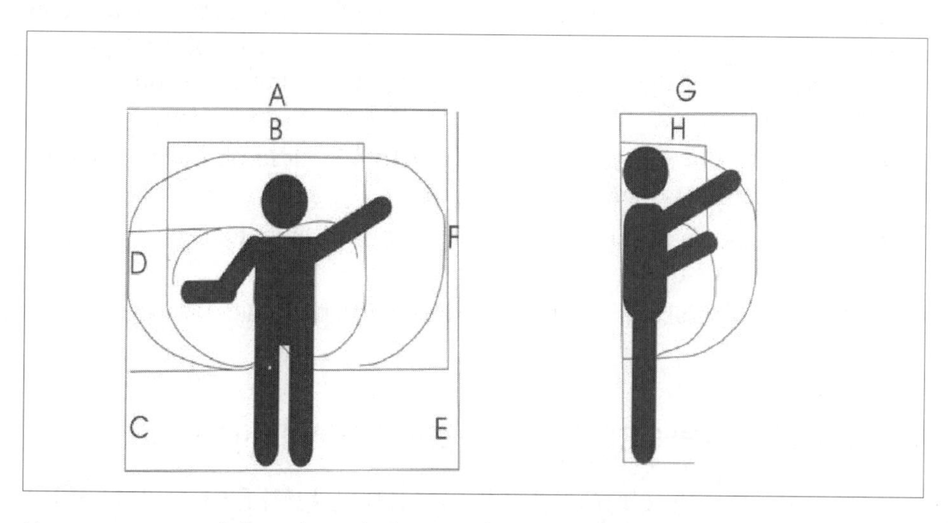

Hay una zona máxima de trabajo para la mano derecha y otra para la mano izquierda, trabajando por separado y para ambas manos trabajando conjuntamente, que les permite movimientos naturales, fáciles y rítmicos.

Las partes se deben de disponer de tal forma, que permitan los movimientos más cortos de los ojos, la mejor fijación de la vista y el mejor orden de movimientos, para adquirir hábitos de movimientos automáticos y rítmicos.

CUADRO 26. PLANO VERTICAL

	MUJER	HOMBRE
A	1.440	1.55
B	1.10	1.35
C	0.68	0.77
D	0.72	0.88
E	0.63	0.70
F	1.26	1.40
G	0.73	0.80
H	0.43	0.50

Decisiones relativas a la utilización de las personas en un proceso

Para hacer una elección inteligente, entre el hombre y la máquina, deben conocerse los principios que sirven de guía al diseñador en la búsqueda de los mejores métodos de trabajo. Integrar a las personas dentro del proceso productivo con el propósito de lograr el mayor aprovechamiento del esfuerzo humano con el mínimo de fatiga; determinar el procedimiento de trabajo adecuado, distribuir la estación de trabajo y diseñar el equipo óptimo, originó el estudio de tres categorías de principios:

- Utilización del cuerpo humano, respecto a la clase de trabajos que se efectúan con las manos o con los pies.
- Determinación del tipo y secuencia de los movimientos del cuerpo y de los miembros que se usarán.
- Distribución del lugar de trabajo y diseño de herramientas y equipo.

Principios de economía de movimientos relacionados con el uso del cuerpo humano

1. La secuencia de los movimientos deberá facilitar el aprendizaje, el ritmo, y minimizar el número total de movimientos necesarios. Los movimientos de las manos deben quedar confinados a la clasificación más baja:
   - Movimientos de los dedos.
   - Movimientos que comprenden dedos y muñeca.

- Movimientos que comprenden dedos, muñecas y antebrazo.
- Movimientos que comprenden dedos, muñeca, antebrazo y brazo.
- Movimientos que comprenden dedos, muñeca, antebrazo, brazo y hombro.

Este principio sirve para realzar la importancia de localizar el material y las herramientas lo más cerca posible del punto de utilización y que los movimientos de las manos deban ser lo más cortos posible. El ritmo es esencial para la ejecución suave y automática de una operación; se debe disponer el trabajo para permitir un ritmo fácil y natural. El ritmo puede interpretarse de dos formas diferentes:

- Rapidez o velocidad de los movimientos repetidos como andar o respirar.
- Un movimiento regular, uniforme y recurrente es rítmico, aunque no de tal impresión.

Un operario voluntariamente puede disminuir su ritmo, introducir movimientos extraordinarios para generar retrasos o interrupciones, por lo tanto resulta difícil determinar el ritmo natural de cualquier persona y es necesario entrenarlo en el método, calificarlo y dar los suplementos necesarios para su recuperación.

2. El trabajo deberá distribuirse lo más simétricamente posible, entre las dos manos y los dos pies. Las manos deben comenzar y terminar sus movimientos a la vez. Las manos no deben permanecer inactivas a la vez, excepto durante los períodos de descanso. Los movimientos de los brazos deben hacerse simultáneamente en direcciones opuestas y simétricas.

Estos principios están ligados entre sí y pueden estudiarse mejor a la vez. En estos casos, se logra distribuyendo trabajo similar a la izquierda y a la derecha del lugar de trabajo. Los movimientos simétricos de los brazos se tienden a equilibrar, reduciendo los choques sobre el cuerpo y permitiendo al operario ejecutar su tarea con esfuerzos mentales y físicos menores; este equilibrio también genera menor tensión. Por ejemplo, en el montaje de perno, arandelas, guasa y tuerca:

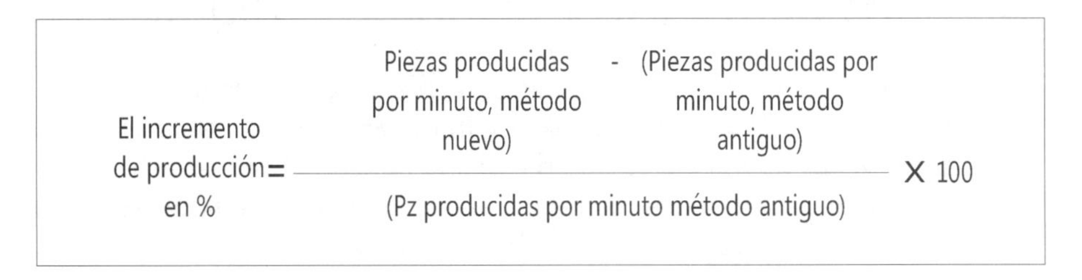

$$\text{El incremento de producción en \%} = \frac{\text{Piezas producidas por minuto, método nuevo)} - \text{(Piezas producidas por minuto, método antiguo)}}{\text{(Pz producidas por minuto método antiguo)}} \times 100$$

$$\text{Ahorro de tiempo en \%} = \frac{(\text{Tpo. por pieza método antiguo}) - (\text{Tpo. por pieza nuevo método})}{\text{Tpo. por pieza método antiguo}} \times 100$$

3. Los movimientos de encender-apagar, abrir-cerrar deberán ser efectuados por la acción del pie o la pierna, siempre que sea posible.

4. Los movimientos de transporte deberán efectuarse con el movimiento natural del antebrazo, manteniendo al mínimo el movimiento de la parte superior del brazo.

5. Siempre que sea posible, debe usarse el movimiento por gravedad o dejar caer. En general se debe minimizar el número de movimientos.

6. Se debe emplear la impulsión para ayudar al operario a vencer las cargas con el menor esfuerzo muscular.

   Impulsión = Masa x Velocidad

   El peso consta de tres partes:

   - El peso del material.
   - El peso de la herramienta y dispositivos utilizados.
   - El peso de la parte del cuerpo que se mueve.

Estos pesos se deben estudiar con el fin de reducir c/u de ellos al mínimo. Igualmente se debe mantener baja la velocidad de los movimientos, con el fin de conseguir el máximo rendimiento.

7. Deben usarse los movimientos suaves, continuos, curvos y balísticos de las manos, en lugar de los movimientos rígidos, en zigzag, forzados o de ángulos agudos, línea recta, con cambios de dirección bruscos y repentinos.

   Los movimientos balísticos son más rápidos, fáciles y exactos que los restringidos o controlados.

Principios para distribución del trabajo

8. Preubique en orden las herramientas, materiales, partes acabadas y controles en un sitio fijo y definido cerca y frente al operario, conforme a las zonas normales de trabajo tanto en el plano horizontal como vertical, con el fin de crear hábito en los operarios, lo cual permite el rápido desarrollo del automatismo, reduce la fatiga y ahorra tiempo.

9. Al buscar los controles, establezca claves respecto a colores, forma o tamaño, para maximizar la velocidad y minimizar los errores. Ej. control de la aleta de aterrizaje, tren de aterrizaje, control para la extinción de incendios, control de las RPM, reubicación de controles, uso de palancas.

10. El uso de indicadores de tipo cualitativo, que ofrecen información respecto a más de dos condiciones o estados discretos o de número limitado, como mecanismos de inspección. Use indicadores simples del tipo encender-apagar. Ej. indicadores de luces altas en el tablero de un automóvil, indicadores direccionales, de temperatura, la luz piloto de la radio, la cafetera eléctrica, la alarma, etc.

    Si no basta un indicador simple del tipo encendido apagado, use si es adecuado, un indicador del tipo cualitativo.

    Ej.: Luces direccionales de un automóvil.

    - Rojo Amarillo Verde
    - Desechar Corregir Aceptar

    Únicamente cuando sea esencial, se debe presentar una información cuantitativa continua en vez de los tipos encendido apagado y cualitativo.

11. Debe proporcionarse una iluminación adecuada y sin reflejos. Es decir, condiciones adecuadas para ver. El primer requisito para una percepción visual satisfactoria es una buena iluminación y lo que se requiere es:
    - Luz de intensidad suficiente para la tarea definida.
    - Luz de color adecuado y sin deslumbramiento.
    - Luz incidente en la dirección debida.

Se debe tener en cuenta que la visibilidad de un objeto viene determinada por las variables siguientes:

- Brillo del objeto
- Tamaño del objeto.
- Distancia del objeto al ojo.
- Fatiga.
- Contraste con el fondo.
- Tiempo disponible para ver.
- Distracciones.
- Tiempo de reacción y deslumbramiento.

12. Es necesario colocar los materiales en recipientes, dispensadores o depósitos con labios o suministro por gravedad, que faciliten localizar y sujetar las piezas. Esto ahorra tiempo y permite a las manos comenzar el ciclo siguiente simultáneamente sin romper el ritmo.

13. Use un tornillo de acción rápida, una abrazadera o cualquier otro tipo de mecanismo, para fijar el material sobre el cual se está efectuando un trabajo. Ej. Tornillo operado con aire, tornillo de dos o tres hilos, mecanismos de levas, resortes, presión hidráulica, magnetismo, etc.

14. Use topes y guías que reduzcan la inspección, con el propósito de dejar en libertad al operario para realizar otras actividades.

Principios relacionados con el diseño de equipo y lugar de trabajo.

15. Deben combinarse dos o más herramientas. Generalmente es más rápido girar a una herramienta de doble uso que dejar una herramienta y coger la otra.

16. La altura del lugar de trabajo y el asiento correspondiente para cada operación deberán combinarse de forma que permitan al operario trabajar alternativamente sentado, con apoyo para los pies o de pié. Así es posible que descansen ciertos músculos, cuyo cambio de posición influye favorablemente sobre el sistema circulatorio.

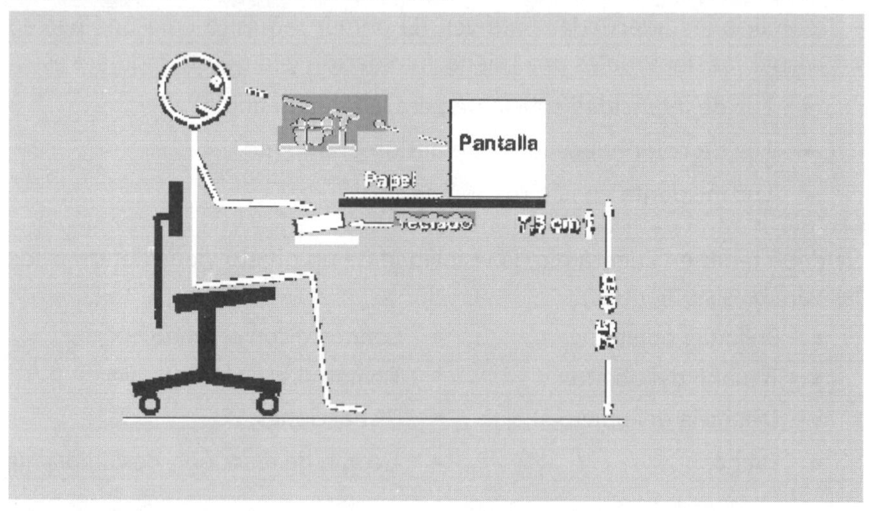

Normalmente, se parte de la altura del codo del trabajador para establecer las alturas que deben corresponder a la mesa y silla para el trabajo. Para personas de estatura media, la altura del codo es de 0.75 metros para las mujeres y de un metro o más para los hombres.

La silla deberá tener una altura de 0.625 a 0.775 m., de esta manera la posición del codo y de la mano con respecto al lugar de trabajo, queda en condiciones de mantener se igual, tanto si está de pié como sentado. Se debe instalar para cada operario una silla del tipo y altura adecuados para permitir una buena postura. Para trabajar de pié, debe tener una postura en condiciones normales para que las funciones orgánicas, tales como respiración, circulación, digestión, etc., se lleven a cabo normalmente.

Para trabajar sentado, el tronco debe permanecer derecho desde la cadera hasta el cuello. Un buen asiento (0.406 x 0.436 m.) debe permitir que, tanto el asiento como el espaldar (la profundidad puede variar entre 0.33 a 0.356 m.) se ajusten a la estatura de las personas.

17. La utilización de plantillas y depósitos duplicados, permite que ambas manos describan movimientos de brazos, naturales, fáciles, rítmicos y en un mejor orden. Debe relevarse a las manos de todo trabajo que pueda ser realizado más satisfactoriamente por una plantilla, aparato de sujeción o dispositivo accionado por el pié o electrónicamente. Para lograr economía de movimientos, las herramientas y dispositivos deben diseñarse de suerte que permitan mantener libres las manos para poder dedicarlas a movimientos indispensables.

18. En el ritmo de fabricación continua o progresiva se deben distribuir las máquinas, los aparatos de proceso y el equipo, de forma que el operario pueda realizar la operación con la menor cantidad posible de movimientos.

19. Deben usarse entregas por gravedad. Se debe disponer el trabajo, de manera que se suelten las unidades acabadas por gravedad. Esto ahorra tiempo y

permite que las manos estén libres para iniciar el ciclo siguiente sin romper el ritmo.

20. Los materiales y las herramientas deben situarse de manera que permitan el mejor orden de movimientos. El material necesario, al principio del ciclo, se debe colocar próximo al punto donde se suelta la pieza acabada del ciclo precedente. La posición del movimiento en el ciclo, afecta el tiempo de ejecución por los movimientos en vacío. Un orden de movimientos satisfactorio en una clase de trabajo, puede ayudar a determinar el orden a seguir en otros tipos de trabajo.

21 Donde cada dedo realiza un movimiento específico, debe distribuirse la carga de acuerdo con la cantidad o volumen de trabajo y las capacidades inherentes a los dedos y a las manos. De esta manera se logra:

- Menor tiempo para llegar a un nivel definido de velocidad.
- Cometer menos errores.
- Menor fatiga por la adaptación de la carga en las manos.

22. Los mangos de las herramientas, así como su longitud deben diseñarse para ejercer la fuerza que sea necesaria.

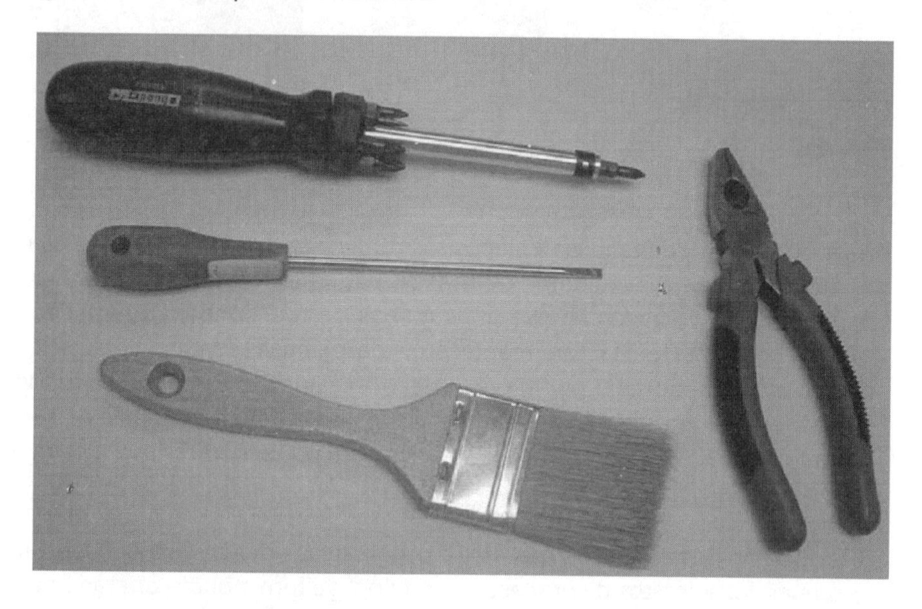

23. Las palancas, volantes de mando y barras cruzadas, deben situarse en posiciones tales que el operario pueda manipularlos con un mínimo de movimientos.

Medio ambiente

Accidentes de trabajo

Un accidente es el resultado de un concurso de factores técnicos, fisiológicos y psicológicos y depende de:

- La máquina.
- Ambiente (iluminación, ruido, vibraciones, emanaciones de sustancias, falta de oxígeno).
- Postura del trabajador.
- Fatiga, malhumor, frustraciones, exaltación juvenil y otros estados físicos o mentales.
- Malnutrición, enfermedades endémicas.
- Inadaptación al trabajo.
- Comportamiento humano frente a los cambios continuos de la industria.
- Circunstancias relacionadas con el trayecto entre el domicilio y el lugar de trabajo.
- Otras actividades desarrolladas fuera de la empresa.

Enfermedades profesionales relacionadas con el trabajo

Diagnóstico. Estudio y vigilancia del medio ambiente de trabajo.

Higiene en el trabajo. Parte desde el diseño del edificio, instalación, proceso de producción, puesto de trabajo. Debe evitarse la contaminación ambiental, ruido, vibraciones, sustancias nocivas que puedan propagarse en el aire. Continúa con el uso eficaz de las tecnologías de control o puede recurrirse a medidas complementarias de organización del trabajo como reducción del período de exposición al riesgo. Finalmente se debe dotar al trabajador de un equipo de protección personal adecuado.

Conocimientos médicos y técnicos

Costos indirectos de los accidentes de trabajo:

- Tiempo perdido por las víctimas,
- Los testigos,

- Los investigadores del accidente,
- Interrupciones de la producción,
- Daños materiales,
- Retrasos,
- Probables gastos judiciales y de otra índole,
- Disminución de la producción el sustituirse al accidentado y posteriormente cuando se reincorpora al trabajo,...etc.

La disminución de la productividad y el aumento de las piezas defectuosas y de los descartes de la producción, imputables a la fatiga provocada por horarios excesivos de y malas condiciones de trabajo, como la mala iluminación y ventilación, afectan el rendimiento del trabajo.

La tensión nerviosa impuesta por la tecnología industrial moderna, es la causa de las formas de insatisfacción, principalmente en los trabajadores asignados a tareas elementales, monótonas y repetitivas.

Un medio ambiente de trabajo peligroso, condiciones de trabajo no adaptadas al nivel cultural y social del trabajador, provoca:

- Disminución de calidad y cantidad de producción.
- Rotación excesiva de mano de obra.
- Mayor absentismo.

Los métodos más eficaces para obtener buenos resultados en la prevención de accidentes son:

- Garantizar un lugar de trabajo seguro y sin riesgos para la salud de los trabajadores.
- Adoptar políticas y buena organización de seguridad e higiene.
- Estimular una amplia participación de los trabajadores en las actividades de seguridad e higiene.
- Crear comités de seguridad y servicios de inspección e investigación de accidentes.
- Establecer señales y medios de información sobre los riesgos profesionales a que puede estar expuesto.
- Enseñar y capacitar, continuamente y a todo nivel, en seguridad e higiene.
- Orientar a trabajadores nuevos sobre el desempeño seguro de sus tareas.

Los métodos básicos para prevenir los riesgos de trabajo son:

1. Eliminar el riesgo:
    - Reducir el número de operaciones y trayecto de los productos,
    - Eliminar operaciones peligrosas,
    - Examen crítico de la operación del trabajo respecto de las reglas y normas técnicas,
    - Inspección y mantenimiento cuidadoso de la maquinaria,
    - Capacitación en materia de seguridad y establecimiento de buenas relaciones de trabajo.
2. Alejar el riesgo de la persona.
3. Aislar el riesgo.
4. Proteger a la persona.

Prevención de accidentes industriales

Prevención y protección contra incendios:

1. Diseñar edificios, procesos e instalaciones de almacenamiento que limite la confluencia de oxígeno, combustible y aumento de temperatura.
2. Eliminar o reducir las fuentes de calor o ignición para limitar el aumento de temperatura como la llama de sopletes, humo de cigarrillos, calor derivado de los procesos, etc.

La dirección debe organizar:

1. Un plan de emergencia con información donde se detalle lo que cada trabajador debe hacer en caso de incendio o situación de emergencia:
    - Prever salidas libres, claras y adecuadamente marcadas, que conduzcan a lugares seguros.
    - Dispositivos para comunicar al personal la necesidad de evacuar.
    - Proveer de extintores de incendio del tipo adecuado para el riesgo de que se trate.
    - Capacitar a todo el personal en la utilización adecuada del extintor.
    - Instalar sistemas automáticos contra incendio, como aspersores de agua.
2. Lucha contra los principales peligros:
    - Mejoramiento de las instalaciones que entrañan riesgos.
    - Información acerca de la instalación industrial.
    - Medidas que se han de adoptar dentro de las instalaciones.
    - Plan de emergencia.

PREGUNTAS Y PROBLEMAS

1. Normalizar es:

   a ______________ b ______________ c______________

2. Los métodos de medición son: ______________________________

   ____

   ____

En la ejecución del trabajo, las funciones de un operario se pueden distribuir dentro de tres clasificaciones generales:

4. La productividad se mejora cuando: ______________________

   ____

5. El diseño del trabajo se divide en: ______________________

   ____

6. Con los datos antropométricos se puede especificar: __________

   ____

   ____

7. Los principios de economía de movimientos sirven para: ________

   ____

   ____

8. La economía de movimientos se estudia bajo tres categorías de principios: ______________________________________

   ____

   ____

9. Las fases del proceso de diseño de métodos comprende:

   a. ____

   b. ____

   c. ____

d. ____

e. ____

f. ____

10. El jefe o supervisor es la persona clave en la aplicación de la técnica de simplificación del trabajo, porque es responsable:

11. El jefe debe conocer tres características de la naturaleza humana, en el intento de mejorar métodos, porque la mayoría de las personas:

12. Los cinco pasos para simplificar el trabajo son:

13. Los métodos en la elección del tiempo representativo son:

14. Si en una operación gastamos 70 segundos a calificación normal y los suplementos son de 32% entonces:

TN (TIEMPO NORMAL) =Coeficiente de recuperación X Tiempo estándar =

15. Los factores que se deben tener en cuenta en el cronometraje son:

16. Un jugador distribuye 52 cartas a cuatro jugadores en 30 segundos, con calificación normal. Cuál es la calificación de un segundo jugador que las distribuye en 20 segundos?

17. Si el tiempo normal de una operación es 24 segundos, cuál será el tiempo de un operario que trabaja a calificación óptima?

18. Si en una operación se gastan 24 segundos a calificación 75 y coeficiente de recuperación 1.28, Cuál será:

    Tiempo normal = ______________________________________

    Tiempo estándar =______________________________________

    Ciclo =____

19. Si tenemos tiempos de 30 segundos a calificación 40; 15 segundos a calificación 80 y 60 segundos a calificación 20. Qué podemos concluir?

20. Caminar sobre un piso plano, sin obstáculos, en condiciones normales, a una rapidez de 1.25 metros / segundo, es la definición de:

CAPÍTULO VI

MEDIDA DEL TRABAJO

Estudio de tiempos, su importancia

El estudio de tiempos iniciado por Taylor, se utilizó para determinar los tiempos estándar para que una persona competente realice el trabajo a marcha normal. Las razones que hacen necesario tener estimaciones de tiempo son:

- Las compañías deben cotizar un precio competitivo.
- Para hacer una oferta se debe estimar el tiempo y costo de manufactura.
- Establecer un programa de fabricación.
- Evitar tiempos ociosos de máquinas y operarios.
- Cumplir las fechas de embarque a los clientes.
- Planear la llegada de las materias primas.
- Realizar mantenimiento de equipos, instalaciones, orden y aseo de las plantas.
- Predecir las necesidades de equipo y mano de obra o sea las horas-hombre y horas-máquina.
- Pagar según un plan de incentivo:
  - Tiempo oficial permitido x salario por día /tiempo real requerido
  - Decisión entre hacer o comprar todo o partes.

El estudio de movimientos, debido a los Gilbreth, se empleó en gran parte para el perfeccionamiento de los métodos. Actualmente se usan los métodos, los movimientos y los tiempos juntos, como herramienta de análisis, con el fin de:

Encontrar la forma más económica de hacer el trabajo.

Normalizar los métodos, movimientos, materiales, herramientas e instalaciones.

Determinar los tiempos estándar.

Entrenar a los operarios en el método nuevo.

Definición

El estudio de tiempos es el complemento necesario del estudio de métodos y movimientos. Consiste en determinar el tiempo que requiere un operario normal, calificado y entrenado, con herramientas apropiadas, trabajando a marcha normal y bajo condiciones ambientales normales, para desarrollar un trabajo o tarea. Comprende tres fases:

- Diseño de operación nueva o perfeccionada.
- Instalación, ajuste, aprendizaje y verificación.
- Estudio de tiempos estándar o representativo.

Una vez se establece el estándar, no puede variarse arbitrariamente debido a los contratos obrero-patronales. Sólo se pueden variar cuando se efectúa un cambio considerable en la operación en sí, o si se cometió un error de oficina al determinar el estándar. Estos tiempos se deben actualizar por lo menos cada seis meses.

Objetivos

- Medir el rendimiento de las máquinas y los operarios.
- Determinar la carga apropiada para las máquinas y las personas.
- Establecer el ciclo de producción para cumplir las fechas de embarque al cliente.
- Determinar las bases para una equitativa remuneración.
- Servir de base para determinar el costo de manufactura.
- Planear las necesidades de equipo, mano de obra, materias primas.

Métodos de medición

Los métodos más usados en la práctica para estimar el tiempo estándar de una operación son:

1. DEDUCCIÓN DE EXPERIENCIAS ANTERIORES.

Se puede llevar a cabo de muchas maneras; aquí describiremos tres de las más corrientes:

- Extraer los tiempos directamente de estadísticas de producción pasadas y sacar el promedio: horas/ unidad = promedio horas/ unidad.
- Usar los mismos datos, pero ajustados adecuadamente respecto a desempeños, métodos y condiciones normales que caractericen los datos.
- Hacer una estimación directa, basándose en la experiencia que en tales asuntos tenga quien determine los tiempos estándar. Este método tiene la enorme ventaja de la rapidez y el bajo costo. Se usa para trabajos de poca duración y bajo volumen.

Muestreo de trabajo

- El muestreo tiene por objeto, estimar la proporción del tiempo del trabajador que dedica a actividades productivas e incluye los siguientes pasos:
- Determinar qué actividades son trabajo y cuáles no.
- Observar la actividad a intervalos instantáneos, intermitentes, espaciados y al azar, evitando que el operador prevea las observaciones.
- Calcular la proporción de tiempo que el operario dedica al trabajo mediante la fórmula:

$$P = X / n \qquad \text{en donde:}$$

X: es el número de observaciones en las que detectó trabajando al operario.
n: número total de observaciones.

La representación de los estados de actividad TRABAJANDO u OCIOSO para una parte del día de un operador puede ser:

Ocioso	Trabajando	Ocioso	Trabajando	Ocioso	Trabajando
8 a. m.	9 a. m.	2 p. m.	21/2 p. m.	2.45 p. m.	4 p. m.

La forma de realizar el estudio de muestreo del trabajo, es como si cortáramos la barra del cuadro anterior en tiras y luego las colocáramos en una caja, para después extraer un cierto número de ellas al azar, una vez obtenida una muestra razonable, la proporción de las tiras ociosas en la muestra nos da una idea de la proporción real de las tiras ociosas en la caja, o lo que es equivalente del tiempo invertido realmente en ese estado.

Supóngase que se extraen cien tiras y que de ellas 18 fueron ociosas; entonces una estimación de la proporción de tales tiras, en toda la caja (la población) es:

$$\frac{\text{18 tiras ociosas}}{\text{100 tiras extraídas}} \text{ X } 100 = 18\ \%$$

Donde se puede concluir que el 18% del tiempo es ocioso.

En la práctica hay que seleccionar al azar los instantes en que deseamos observar y después ir al lugar de trabajo en el tiempo elegido a fin de observar lo que

GRÁFICA 51. ESTUDIO DE TIEMPOS

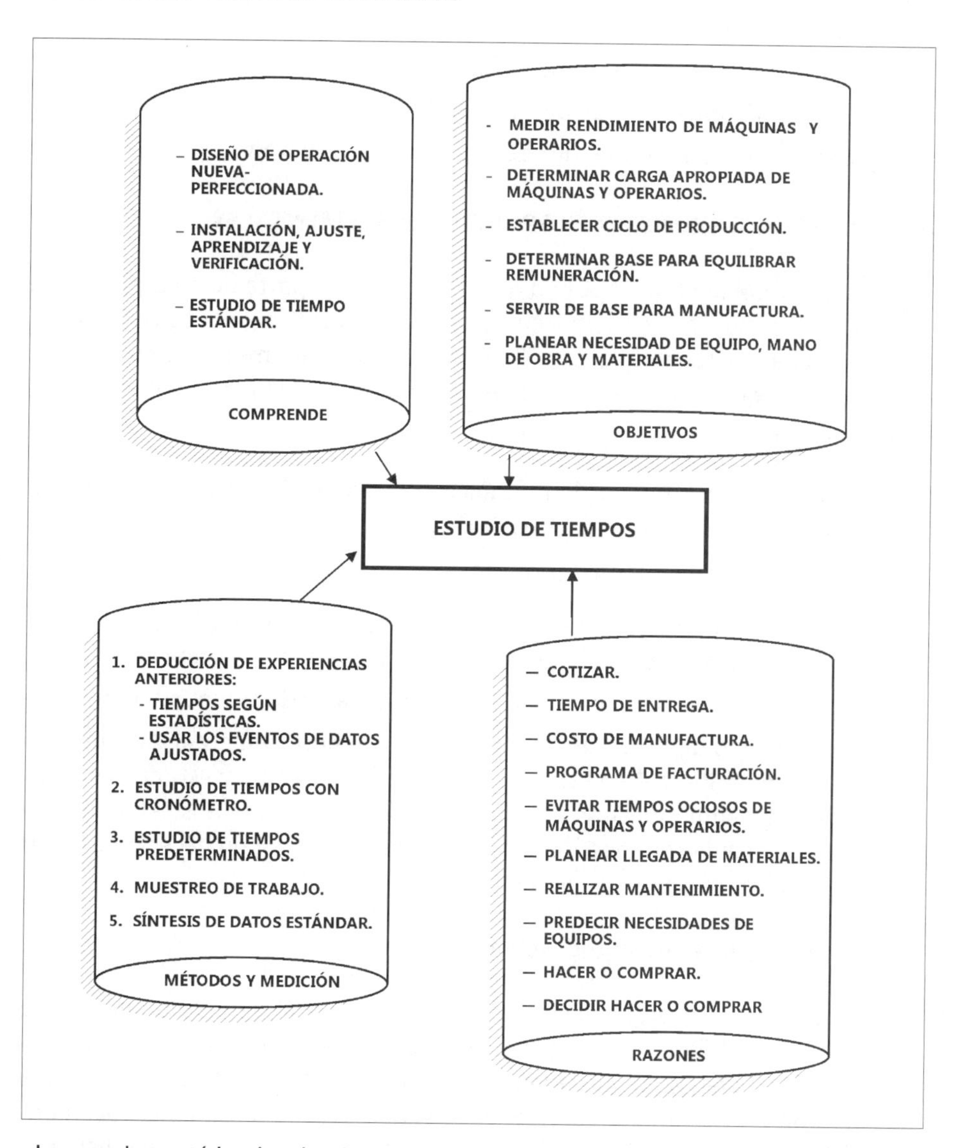

el operador está haciendo. O sea que la equivalencia del proceso de muestrear tiras, en la práctica representa una serie de observaciones en el lugar de trabajo, instantáneas y espaciadas al azar o aleatorias.

Concretamente el muestreo de trabajo consiste en estimar la proporción del tiempo dedicado a un tipo de actividad dado, durante un cierto período de tiempo, empleando para ello observaciones instantáneas, intermitentes y espaciadas al azar. Es el proceso de observar al azar el desenvolvimiento de los empleados para determinar como aprovechan su tiempo y se divide en tres técnicas:

- Estudio de razones o proporciones elementales
- Estudio de muestreo de desempeño.
- Estudio de establecimiento de estándares de tiempo.

1) ESTUDIO DE RAZONES O PROPORCIONES ELEMENTALES

La tarea principal del trabajador (la que hace la mayor parte del tiempo) define el título de su puesto. Pero muchas otras actividades (productivas o improductivas) también ocupan tiempo. Cada unidad debe ser medida y comparada con el tiempo que requiere cada elemento del trabajo. El procedimiento es el siguiente:

Identifique el sujeto. Trabajo de mecánico con tolerancias totales del 26% del tiempo total. El % de tiempo productivo será:

$$26\% / (100 - 26) = 35\%.$$

- Establezca el propósito y la meta del estudio. Indique cómo se aprovecha una jornada de trabajo. Identifique los problemas y su extensión.
- Identifique los elementos. Trabajo ocioso (causado por el operador).
- Estime el % de razón de los elementos. División elemental y estimación de razones. Se deben listar los elementos del trabajo y estimar las razones mediante muestras u observaciones rápidas, que nos servirán para determinar la cantidad de observaciones que se deben hacer para llegar a un nivel de confianza y exactitud.

Determine el nivel de exactitud y confianza.

Mide qué tanto se acerca nuestra razón a la razón real de un elemento. Una exactitud de ± 5% indica que la razón está dentro del 5% del verdadero tiempo del elemento. Si la razón verdadera de una tarea al trabajo total es 25%, una exactitud de ± 5%, permitiría que el observador registrara cualquier razón entre el 23,75% y 26,25% (25 x 0,05 = 1,25) y estaría dentro de la tolerancia por exactitud.

Ejemplo: Los elementos de un trabajo mecánico y las razones elementales estimadas son como aparecen en la siguiente tabla:

El nivel de confianza se refiere a qué tan seguro o confiado quiere estar quien realiza el muestreo de trabajo sobre las razones resultantes. Un nivel de confianza de 95% indica que nuestras razones son exactas (dentro de un grupo de ± 5%) el 95% de las veces. El 5% restante seremos imprecisos por exceso o por defecto.

<table>
<tr><th># DE ELEMENTO</th><th>DESCRIPCIÓN DEL ELEMENTO</th><th></th><th>RAZÓN DEL ELEMENTO</th><th>SUPLEMENTOS</th></tr>
<tr><td>1.</td><td>CARGAR Y DESCARGAR</td><td>20%</td><td>PRODUCTIVO</td><td></td></tr>
<tr><td>2.</td><td>TIEMPO DE MÁQUINA</td><td>35%</td><td>PRODUCTIVO</td><td></td></tr>
<tr><td>3.</td><td>PUESTA EN MARCHA</td><td>15%</td><td>PRODUCTIVO</td><td></td></tr>
<tr><td>4.</td><td>CAMBIO DE HERRAMIENTA</td><td>7%</td><td>PRODUCTIVO (RETRASO)</td><td rowspan="4">TOLERANCIAS TOTALES 26%</td></tr>
<tr><td>5.</td><td>INSPECCIÓN</td><td>5%</td><td>PRODUCTIVO (RETRASO)</td></tr>
<tr><td>6.</td><td>MANEJO DE MATERIALES</td><td>4%</td><td>PRODUCTIVO (RETRASO)</td></tr>
<tr><td>7.</td><td>OCIOSO</td><td>14%</td><td>IMPRODUCTIVO</td></tr>
<tr><td colspan="2">TOTAL</td><td>100%</td><td></td><td></td></tr>
</table>

Determine el número de observaciones necesarias para alcanzar las metas de calidad:

Muestra. Una muestra (por una vez) es una observación de un operador. La observación de 100 operadores una vez cada uno, es lo mismo que la observación de un operador 100 veces, porque representa 100 muestreos. Mientras más muestras se tomen, se mejora la exactitud y la confianza previstas en el estudio. Las muestras se toman en momentos elegidos al azar, porque así tiende a exhibir las mismas características de toda la población.

Aleatoriedad. Es un requisito del muestreo para evitar la rutina y los eventos predecibles que animan el estudio. La aleatoriedad puede generarse por:

Tablas de números aleatorios.

Botón de calculadora de números aleatorios.

Sacando números de una bolsa.

Los últimos 4 dígitos de los números telefónicos del directorio: el primer dígito nos da la hora del día; el segundo dígito los minutos; y el tercero los segundos si se desea.

Tamaño de la muestra o número de observaciones. Es el número elegido para alcanzar la exactitud y confianza que deseamos. Para ello usamos la fórmula:

$$N = \frac{Z^2 (I - P)}{P)(A)^2}$$

N = # de observaciones necesarias.
Z = # de observaciones estándares requeridas para cada nivel de confianza.
P = % del tiempo total en que los empleados ejecutan un elemento de trabajo.
A = Exactitud deseada

Ejemplo: ¿Cuántas observaciones hacer con exactitud del ± 5% y una confianza del 95% en un trabajo que sólo representa el 4% del día de trabajo?

$$N = \frac{(1{,}96)^2(1 - 0{,}04)}{0{,}04 \times (0{,}05)^2} = 36{,}879 \text{ observaciones}$$

También se puede seleccionar el tamaño de la muestra especificando el máximo error de muestreo tolerable en términos del intervalo de confianza (I) y de un coeficiente de confianza © congruente con la naturaleza e importancia de la decisión para la que va a servir de base el resultado del estudio.

El cálculo se hace utilizando las siguientes fórmulas:

$$N = 2a\sqrt{P_i(1 - P_{i)} / N}$$

$$N = \frac{4a^2 P_i (1 - P_{i)}}{I^2}$$

P: proporción del tiempo dedicado a la actividad "i"

a: factor obtenido de la tabla de probabilidad para la distribución normal para el valor elegido de "c"

c: nivel de confianza.

En resumen, el estudio de razones o proporciones elementales consiste en:

Programar las observaciones conforme a la aleatoriedad.

Hablar con todos los participantes, operarios, supervisores y director de departamento.

Reunir los datos ordenados en tablas.

Resumir y enunciar las conclusiones y el qué hacer.

2) ESTUDIO DE MUESTREO DE DESEMPEÑO

Un administrador puede medir, con el cálculo anterior, la proporción de tiempo que un trabajador dedica a actividades productivas; esta proporción puede después utilizarse como un estándar de desempeño.

El estudio de desempeño requiere observar al operador para calificarlo. La calificación o valoración es lo mismo que en el estudio de tiempos, y es lo que se debe hacer en el muestreo. La observación de un operador ocurre en un momento en que el observador juzga su velocidad y ritmo del trabajo productivo. Luego el total de observaciones del trabajo productivo normalizado, se divide por el total de observaciones tomadas para obtener la calificación promedio del trabajo productivo.

Ejemplo: El administrador de una biblioteca estaba preocupado por el porcentaje de tiempo que los empleados gastaban con los clientes en el mostrador. Entonces decidió hacer registrar cada media hora durante una semana, si el empleado estaba o no trabajando.

El administrador concluyó que el trabajo ejecutado tenía una proporción suficientemente baja que ameritaba agregarle más trabajo.

La proporción de tiempo invertido en el cliente es:

$$P = 48 / 83 = 0.5783$$

Los resultados obtenidos fueron los siguientes:

Día	No. Observaciones.	Trabajador con cliente
Lunes	16	8
Martes	15	8
Miércoles	20	12
Jueves	16	10
Viernes	16	10
Total	**83**	**48**

3) ESTUDIO DE ESTABLECIMIENTO DE ESTÁNDARES DE TIEMPO

La calificación promedio obtenida anteriormente del trabajo productivo se multiplica por las horas laborables y se divide por las unidades producidas para obtener las horas por unidad y le agregamos la tolerancia para obtener el tiempo estándar.

$$A_S = \frac{C_p \text{ x horas jornada}}{\text{N° unidades}}$$

Ejemplo: Supongamos que mediante un estudio del muestreo del trabajo, el 20% de una semana de trabajo se consumió en retrasos inevitables, cada vez que se observó al operador se calificó y el promedio dio 110% de ritmo de trabajo, se observó durante un período de 40 horas; el operador produjo 1.000 unidades. El tiempo estándar sería:

$$T_s = \frac{40 \text{ horas } (1 - 0.20)\ 1.10}{1.000 \text{ unidades}} = 0.035 \text{ horas / unidad}$$

Consiste pues, en la extracción de muestras en forma intermitente y al azar, durante un período de tiempo mayor al acostumbrado en el estudio de tiempo por el método con cronómetro. Con este método se obtiene una estimación satisfactoria acerca de los requerimientos fuera del ciclo de trabajo. Se basa principalmente en la ley de probabilidades, que se define como el grado de posibilidad de que se produzca un acontecimiento.

En general, el muestreo de trabajo se usa para estimar la jornada en que se distribuye el tiempo (operario o equipo) entre dos o más tipos de actividades. Concretamente se aplica en:

Estimar tiempos por retrasos inevitables que sirvan de base para establecer las tolerancias por retrasos.

Estimar el porcentaje de utilización de las máquinas en un taller o de los camiones que surten y dan servicio a un almacén.

Estimar el porcentaje de tiempo consumido por varias actividades de trabajo por parte del taller a supervisores, ingenieros, reparadores, inspectores, enfermeros, médicos, profesores, personal de oficina, etc.

Estimar el tiempo estándar combinando la calificación y el muestreo de trabajo.

Ejemplo: Supóngase, 25% de retrasos inevitables por semana. Cada observación de muestreo de trabajo se promedió en 105% de calificación y durante ese período de 40 horas se produjeron 500 unidades. ¿Cuál es la carga de trabajo por hora?

$$T_s = \frac{40 \text{ horas } (1 - 0.25)\ 1.05}{500 \text{ unidades}} = 0.063 \text{ horas / unidad}$$

Errores en el muestreo de trabajo:

1) Error de muestreo.

   La elección del tamaño de la muestra "n" puede hacerse de diversas maneras, desde el simple sentido común hasta una fórmula objetiva estadística. En esta última se puede especificar numéricamente el error de muestreo tolerable, en términos del coeficiente e intervalo de confianza y con ello determinar el tamaño de la muestra necesaria para controlar el error de muestreo dentro de ese nivel, mediante el tamaño de la muestra.

2) Sesgo en el muestreo de trabajo.

   Es como la diferencia entre la probabilidad de observar un estado dado de actividad, un retraso por ejemplo y la probabilidad del tiempo realmente dedicado a ella:

Programación no aleatoria de las observaciones.

Criterio del observador.

Oportunidad de prever las observaciones (cambio en el comportamiento) se controla mediante la manera de hacer las observaciones aleatorias.

3) Carácter no representativo del muestreo de trabajo.

   ¿Qué tan exactamente el período de muestreo representa al período futuro en el que se aplican las estimaciones hechas?

   Debería pues, tenerse en cuenta la diferencia entre estimación y pronóstico. Tiene que ver con lo cíclico del trabajo en el tiempo. Se controla mediante la selección adecuada del período por estudiar.

3. DATOS ESTÁNDARES

Se aprovecha el volumen de tiempos estándares disponible:

Se analizan estos estándares para determinar si el tiempo normal para una operación depende de las diversas características de la pieza (tamaño, forma, peso, dureza) en la que se efectúa la operación.

A partir de aquí, el tiempo normal para cualquier nueva operación similar se establece sustituyendo en la fórmula resultante las características particulares de la pieza y calculando el tiempo normal. El tiempo estándar se obtiene añadiendo la tolerancia apropiada por retardos y fatiga. Bajo este sistema no es necesario medir directamente, ni observar la operación para poder establecer el estándar; lo único que se necesita es contar con las especificaciones de la pieza.

T_s = f (tamaño + forma + peso + dureza + N de operaciones) + suplementos.

Los datos estándares se usan para establecer las cuotas para clientes potenciales, para programar producción y para pagar incentivos.

4. TIEMPOS PREDETERMINADOS.

Son el resultado de muchos estudios con cronómetro, realizados a operaciones que incluyen la gran mayoría de movimientos y que pueden usarse en otras operaciones mediante la suma de los tiempos de los movimientos similares que se ejecutan en ella. El método de aplicación de este sistema consiste en:

Estabilizar la operación.

Descomponerla en elementos básicos y asignar el grado de dificultad a cada una.

Aplicarle los tiempos normales tomados con anterioridad a otras operaciones.

Aplicarle los suplementos para obtener el tiempo estándar o de aplicación.

Existen diferentes métodos para obtener los tiempos predeterminados, los principales son:

1) **M T M (Motion Time Method)**

   Para el desarrollo del sistema M T M, sus creadores filmaron una gran variedad de operaciones manuales industriales y un estudio cuidadoso de esas películas indicó que la mayoría de las trayectorias de los movimientos en operaciones industriales, podrían sintetizarse a partir de ocho movimientos básicos:

- Alcanzar (reach)
- Sujetar (grasp)
- Soltar (release)
- Desacoplar (disengage)
- Mover (move)
- Girar (turn)
- Ubicar (position)
- Apretar (compress)

Luego se procede a determinar las variables de trabajo que afectan al tiempo de ejecución esperado para cada uno de los movimientos. Ejemplo: el tiempo necesario para mover un objeto se ve afectado por los siguientes movimientos:

- Distancia que recorre la mano.
- Peso del objeto.
- Mayor o menor control ejercido.

A estas variables procedieron a darle valores de tiempos hasta conformar ocho tablas:

- Tiempos para alcanzar (reach) R
- Tiempos para mover (move) M
- Tiempos para sujetar (grasp) G
- Tiempos para girar (turn) T
- Tiempos para soltar (release) RL
- Tiempos para desacoplar (disengage) D
- Tiempos para ubicar (position) P
- Tiempos para apretar (compress) C

Las cuales incluyen valores de tiempo para los movimientos de dedos, manos y brazos.

El procedimiento que se debe seguir al hacer un estudio MTM es:

- Dividir la operación en elementos de tamaño intermedio que comprenda no más de 12 movimientos. Ejemplo: tomar la pieza, colocarla en mecanismo, cerrar mecanismo, iniciar alimentación.
- Identificar los movimientos MTM necesarios, usando las tablas.
- Registrar elementos y movimientos.
- Dar los valores de tiempos según tablas.
- Sumar los tiempos obtenidos para obtener el tiempo total de la tarea.
- Registrar la distribución del lugar de trabajo y describir el equipo usado.

Las tablas no consideran ninguna corrección por fatiga, necesidades personales, retrasos o cualquier otro suplemento.

2) M T A (Motion Time Analysis) creado por Segur en 1912[8]

3) T M S (Time and Motion Study)

4) W F (Work Factor) aplicado por Philco Corporation en 1934[9]

5) M T M (Methods Time Mesurement) creado por H. Maynard en 1940

6) Observación y medición directa.

5. ESTUDIO DE TIEMPOS CON CRONÓMETRO

Definición.

Consiste en determinar el tiempo para realizar un trabajo especificado por una persona calificada, trabajando a una marcha normal. Se utiliza para medir el trabajo, y su resultado es el tiempo en minutos que necesitará una persona adecuada para la tarea, e instruida sobre el método especificado para ejecutar dicha tarea si trabaja a una marcha normal. A esto se le llama tiempo normal para la operación.

Se trata de medir con cronómetro, el tiempo empleado en la operación que un trabajador ejecuta, durante un cierto número de repeticiones consecutivas ajustado por la calificación o ritmo de trabajo:

$$T_N = \frac{\text{Velocidad de trabajo observado} \times \text{tiempo observado}}{\text{Velocidad de trabajo normal.}}$$

El procedimiento general del estudio de tiempos con cronómetro tiene los siguientes pasos preliminares:

- Ponerse en contacto con las personas involucradas en el estudio de tiempos (operarios, supervisores, directores, etc.).
- Verificar si el método, el equipo, la calidad y las condiciones corresponden a las especificaciones establecidas. Buscar y remediar las ineficiencias.

---

8 KRICK, Edward V. *Ingeniería de Métodos*, México. 1996, 543p.

9 KRICK, Op.cit

- Registrar toda la información concerniente a la operación, operador, producto, método, equipo, calidad y condiciones.
- Desglosar el ciclo de trabajo en sus distintos elementos.
- Recolectar los datos que se obtienen al medir los tiempos y al calificar al operador.
- Procesar los datos.
- Calcular el tiempo representativo, resultante de la medición.
- Aplicar el factor de calificación.
- Aplicar la tolerancia.
- Presentar los resultados.

Aplicaciones

Programar el trabajo.

Determinar costos y preparar presupuestos.

Preparar ofertas y determinar precios de venta.

Equilibrar líneas de montaje, determinar rendimientos de máquinas, programar número de máquinas y de personas necesarias.

Determinar tiempos tipo, para el pago de salarios con incentivo.

Equipo para el estudio de tiempos

El equipo necesario para realizar un estudio de tiempos comprende:

- Dispositivos de medida: cronómetros de minuto decimal, hora decimal y electrónicos.
- Máquinas registradoras de tiempos.
- Cámaras cinematográficas.
- Equipo de videocinta.
- Equipo auxiliar:
  - Tablero de observaciones.
  - Formas impresas.
  - Tacómetro.
  - Calculadora.
  - Flexometro.

Factores en la realización del estudio de tiempos

1) **Seleccionar el operario**. Se selecciona de común acuerdo con el jefe o supervisor y debe ser un operario de tipo medio, porque tiende a trabajar normalmente en forma consistente y sistemática, lo cual facilita al analista de tiempos aplicar un factor de actuación correcto. Por supuesto, el operario deberá estar bien entrenado en el método y tener gusto por su trabajo e interés en hacerlo bien.

   El analista debe ser muy cuidadoso y abordar al operario con mucho tacto para lograr su cooperación. Debe animar al operario para que proporcione sugerencias y pregunte todo lo que desee acerca de la técnica para tomar los tiempos, métodos de evaluación y aplicación de tolerancias. Igualmente debe mostrar interés en el trabajo del operario, ser justo y franco, de buena actitud, facilitador y respetuoso.

2) **Analizar los distintos factores que intervienen en el proceso**. Es indispensable conocer todas las especificaciones de:
   - Los materiales (tamaño, forma, peso, calidad, tratamientos previos, etc.)
   - Herramientas de mano, galgas, plantillas, palancas, etc.
   - Máquinas.
   - Métodos.
   - Medio ambiente.
   - Seguridad.

Ya que cualquier variación podría tener un efecto considerable en la duración del ciclo.

3) **Puestos de trabajo**. Hay que analizar con un croquis, los puestos de trabajo, todos los detalles de ubicación de materiales y herramientas, entrada de materiales y salida de productos, movimientos del operario. En fin, se deben hacer todas las mejoras posibles, como aumentar la velocidad o el avance de las máquinas, aproximar los materiales, mejorar las herramientas, disminuir movimientos y esfuerzos del operario etc.

4) **Observar las condiciones ambientales**. Temperatura, humedad, polución, ruido, operario de pie o sentado, estado y condiciones del piso. Estas observaciones son útiles porque repercuten en la aplicación de las tolerancias.

5) **Dividir la operación en elementos uniformes, identificables y medibles.** Se hace para facilitar la medición. Debe poderse identificar el principio y el

final de cada elemento. Los elementos deben ser tan cortos como sea posible medirlos. Deben separarse los tiempos de máquina y los del operario. Deben separarse los elementos constantes de los variables.

6) **Tomar y registrar los tiempos**.

7) **Calcular el número de ciclos a cronometrar**. Puede decidirse mediante el buen criterio del analista o matemáticamente utilizando la ecuación siguiente:

$$N = \left(\frac{K/S \sqrt{n \sum Xi2 - (\sum X_i)^2}}{\sum X_i} \right)^2$$

N = Número de medidas representativas de la muestra.

K = Error estándar

S = Error aceptable

K/S = Factor de confianza

n = Número de muestras para producir el nivel de confianza deseado.

Ejemplo: Un analista considera 6 lecturas de una operación con 95% de confianza y precisión de + 0.05 del elemento verdadero de tiempo, como límite. Los tiempos tomados en centésimas de minuto son:

X_i: 5 6 5 6 5 6 = 33

X_i^2: 25 36 25 36 25 36 = 183

K para confianza del 95% de las observaciones de las muestras se considera que cae dentro del intervalo + 2 errores estándar de la medida y se establece el error aceptable en +0.05 del elemento verdadero de tiempo.

Aplicando los datos en la fórmula tenemos:

$$N = \left(\frac{2/0.05 \sqrt{6 \times 183 - (33)^2}}{33} \right)^2 = 13.2$$

Otra fórmula matemática que se puede utilizar es:

$$\sigma p = \sqrt{p q / n} \quad \text{donde:}$$

σp = error estándar de la proporción
p = porcentaje de tiempo inactivo
q = porcentaje de tiempo en marcha
n = número de observaciones o tamaño de la muestra

Ejemplo: Se efectúan 100 observaciones de las que se dedujo que las máquinas estaban paradas 25% del tiempo (p = 25) y en marcha el restante 75% (q = 75 centésimas) con un nivel de confianza de 95% y un margen de error del 5%, el valor real de la muestra aplicando la fórmula será:

$1.96\ \sigma p = 5$ de donde $\sigma p = 2.5$ centésimas, por tanto:

$2.5 = \sqrt{25 \times 75 / n}$ de donde $n = 25 \times 75 / (2.5)^2 = 300$ observaciones

8) **Calificar la actividad del operario.** A cada lectura de tiempo debe corresponder un ritmo del operario. Este ritmo es lo que se llama CALIFICACIÓN. La calificación hace variar el tiempo tomado, en vista de que los operarios pueden trabajar a ritmos diferentes. Para determinar la calificación, el analista recurre a una escala graduada entre 0 y 100, donde 0 representa el reposo absoluto.

60 o 100 ES CALIFICACIÓN NORMAL

Equivale a la calificación de un individuo normal, caminando sobre un piso plano, sin ningún obstáculo y sin carga, a una temperatura normal de 18 grados centígrados y a una rapidez de 1.25 metros por segundo o 4.5 kilómetros por hora. Éste es el ritmo del trabajo de una persona normal, que ejecuta su tarea sin pérdida de tiempo, con el mínimo de movimientos y el máximo de seguridad. El 98% de las personas pueden alcanzar este ritmo.

80, 120 ES CALIFICACIÓN ÓPTIMA

Es de interés particular porque el 50% de las personas tienden a trabajar a este ritmo, si son remunerados con incentivos.

100, 140 ES CALIFICACIÓN EXCEPCIONAL

Que se da a las personas con ritmo extraordinario. Lo logran solamente el 2% de ellas.

Hay tres elementos que hacen variar la calificación:

- El método de operación. • La precisión. • El ritmo (ligereza o habilidad).

Si alguno de estos tres factores cambia, la calificación también cambia. Es decir, a un nivel elevado de estos tres factores, corresponde una calificación elevada. A una calificación elevada, el tiempo de ejecución se reduce o sea que la calificación es inversamente proporcional al tiempo.

9) **Recolectar la información**. Una vez acordada la realización del estudio de tiempos se debe:

- Asegurar que el método, las condiciones de trabajo y las especificaciones de materiales son los adecuados.
- Verificar que los operarios hayan sido bien entrenados e informados.
- Hacer un esquema de la pieza y del lugar de trabajo.
- Describir las herramientas y equipo que utilizará.
- Dividir la operación en elementos cortos, identificables y medibles.
- Apreciar la calificación varias veces.
- Tomar los tiempos.

Al calcular el tiempo representativo, los datos se deben someter a la prueba:

TIEMPO X CALIFICACIÓN = CONSTANTE

Con esto aseguramos no haber cometido errores en los tiempos o en las calificaciones.

Tiempo representativo

Para determinar el tiempo representativo existen varios métodos:

1. MEDIA ARITMÉTICA.

Es la más común y fácil de explicar a los operarios. La media aritmética o promedio aritmético, es igual a la suma de las observaciones dividida por el número de ellas en una muestra particular. La fórmula para calcular la media aritmética puede expresarse así:

$$X = \frac{\sum X_j}{N}$$

Ejemplo: supongamos los datos siguientes:

Calificación	50	60	75	60	75	80	75	80
Tiempo	40	35	30	32	29	24	35	22

Las calificaciones se escriben en orden creciente y de izquierda a derecha. Luego, los tiempos observados bajo cada una de las calificaciones. La calificación que escogemos, es aquella que tenga el mayor número de observaciones.

50	60	75	80
40	35	30	24
	32	29	22
		35	
∑ 40	67	94	46

$$\frac{40 \times 50}{75} + \frac{67 \times 60}{75} + \frac{94 \times 75}{75} + \frac{46 \times 80}{75} = \underline{223.33} \;/\; 8 = 27.92$$

Para encontrar el tiempo se procede así:

- Se escoge la calificación 75 por ser la de mayor frecuencia.
- Se suman los tiempos según cada calificación.
- Se convierte el tiempo observado a la calificación escogida así:

$$\text{Tiempo representativo} = \frac{\text{Tiempo observado x calificación observada}}{\text{Calificación escogida}}$$

Se suma el resultado (223.33) y se divide por el número de observaciones (8) y así se obtiene el tiempo representativo (27.92)

2. MÉTODO MODAL.

Consiste en escoger para el elemento, el valor del tiempo que sucede con más frecuencia. Aquí los valores de tiempos altos o bajos no tienen influencia. Para el caso del ejemplo anterior sería: 35 y para el ejemplo del método gráfico siguiente sería: 12

3. MÉTODO GRÁFICO.

Consiste en utilizar una hoja de datos:

- En la primera columna "tiempo", se escribe en orden ascendente todos los tiempos de la operación objeto del análisis.
- En la segunda columna "operación", se acumulan en barras las veces que los tiempos se repiten.
- Luego, en las columnas de "calificaciones" en orden creciente de izquierda a derecha, se anota una barra frente a la calificación y tiempo correspondiente.
- Luego trazamos la tendencia de la calificación que es la línea recta diagonal que va desde el cuadro inferior izquierdo hasta el cuadro superior derecho, pasando por los cuadros que tengan más observaciones marcadas. Si la recta no pasa por la mayoría de datos es porque hay algún error.

C A L I F I C A C I O N E S

TIEMPO	OPERACIÓN	45	50	55	60	65	70	75	80	85	90	95	100
9	II						I	I					
10	IIII					III	I						
11	IIIII				III	IIII							
12	IIII IIII IIII			IIII	IIII								
13	IIII		II	II									
14	III	II	I										
15	I												

Para determinar el tiempo y la calificación, representativo de la operación, trazamos una línea horizontal que parte del tiempo que haya tenido el mayor número de observaciones de izquierda ha derecha. El punto de intersección de esta recta con la línea de tendencia de la calificación nos dará el tiempo (12) y la calificación (55) que representa la operación.

En este método, una de las ventajas es que permite detectar posibles errores en el cronometraje, cuando la gráfica de tiempo no resulta normal o simétrica. Su uso es recomendable con un número de observaciones superior a 20.

10) **Calcular el tiempo normal.** Consiste en obtener para cada ele mento el tiempo normal mediante la siguiente fórmula:

$$\text{Tiempo Normal} = \frac{\text{Tiempo representativo x Calificación representativa}}{\text{Calificación Normal}}$$

11) **Calcular el tiempo estándar**. El tiempo estándar de una operación es igual al tiempo normal más el tiempo de recuperación o suplementos.

    TIEMPO ESTÁNDAR = TIEMPO NORMAL + TIEMPO DE RECUPERACIÓN.

    TS = TN + SUPLEMENTOS

    TS = TN x COEFICIENTE DE RECUPERACIÓN

    Frecuencia: Para obtener el Ts por pieza, se debe multiplicar el Ts de cada elemento por la frecuencia por pieza y luego sumar.

12) **Aplicar los suplementos o tolerancias**. En la práctica, no siempre el operario puede utilizar el tiempo de la jornada normal, muchas veces interrumpe su trabajo por otros factores externos:
    - Personales, tiempo para necesidades personales, 5%.
    - Por fatiga, se debe tener en cuenta un tiempo de recuperación para que el organismo recupere el esfuerzo hecho, 5%.
    - Retrasos involuntarios, debido a caída de herramientas o materiales, descomposición de equipos, pérdida del filo de las herramientas, entre 0 y 5%.

Se debe pues, compensar con tiempo todos estos factores externos. Y este tiempo depende:

- Del género del trabajo.
- De su duración.
- De las condiciones ambientales.

Existen tablas que dan los suplementos en porcentajes de ciertas operaciones de base. A menudo, se deben sumar diferentes porcentajes para calcular el tiempo de aplicación suplementario.

Suplementos por necesidades personales.

Es el tiempo concedido para usos personales, se concede normalmente 5% para hombres y 7% para mujeres. Es el tiempo que se concede a un empleado para necesidades personales como: hablar con sus compañeros sobre temas que no conciernen al trabajo. Ir al baño. Beber agua. Otras controladas por el operador para no trabajar.

Suplementos por fatiga.

Es el tiempo necesario para recuperación física o mental debido al desarrollo de una actividad. Determinar el tiempo que se ha de asignar para descanso, es muy complejo. La mejor solución consiste en establecer períodos de descanso fijos durante la jornada de trabajo. Estos períodos pueden ser entre 5 y 15 minutos o hasta el 5% del tiempo normal, para hombres y mujeres. Se debe tener en cuenta que a cada esfuerzo se debe aplicar un coeficiente de recuperación. Es el tiempo que se concede a un empleado para que se recupere del cansancio, básico 5% y 5% más, por cada 10 libras de fuerza requeridas en exceso.

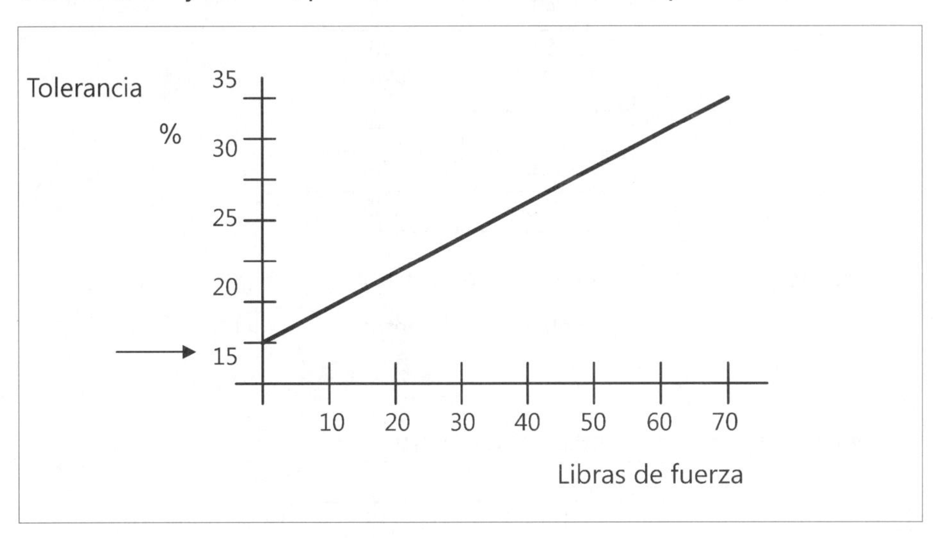

Suplementos por retrasos involuntarios.

Son los tiempos perdidos por las máquinas, por avería, reparación o rotura de herramientas etc. Los tiempos perdidos de los operarios por inspección o interrupciones involuntarias. Se concede, dependiendo de la frecuencia entre 0 y 5%.

- Suplementos por desplazamientos sobre un mismo plano, sin carga.
- Piso en buen estado, hasta 8%
- Piso en estado regular, hasta 12%.
- Piso en mal estado, hasta 20%.

Suplementos por cargas en los brazos y en la espalda.

Brazos

Kg.	%
10	2
20	5
30	12

Espalda

10	-
20	3
30	8
40	15
50	20
60	30
80	60
100	100
120	140

Suplemento por mantener una carga en equilibrio

2 metros   5 metros

2%   5 %

Suplementos por cm. de pendiente por metro.

Kg.	Subir	Bajar
10	0.5	0.2
20	0.6	0.2
30	0.8	0.3
40	1.0	0.4
50	1.2	0.6
60	1.4	0.8
80	1.6	1.0
100	1.8	1.2
120	2.0	1.4

Subir escalera corriente.

Kg.	%
0	80
10	100
20	120
30	150
40	200
50	280

Suplemento por subir y bajar escaleras

Kg.	Subir Buen estado	Escalera Mal estado	Bajar Buen estado	Escalera Mal estado
0	30	40	10	20
10	35	45	15	25
20	40	50	20	30
30	50	60	30	40
40	60	-	40	-
50	80	-	50	-

Manejo de vehículos.

Manejo	Con 100 Kg.	Con 400 Kg.
Halar carro sobre buen piso	15	30
Empujar carro sobre buen piso	20	35
Empujar vagón sobre riel	15	30

Levantar cargas.

	Del piso a 80 cm.		De 80 a 150 cm.	
Kg.	Bajando	Subiendo	Bajando	Subiendo
10	12	18	10	16
20	15	25	15	25
30	25	40	25	40
40	35	50	40	50
50	45	60	55	70
60	55	70	70	80
80	65	80	85	120
100	75	100	120	150

Trabajo intelectual.

	ESFUERZO	
	Temporal	Continuo
Lectura de una ficha de instrucciones	1	2
Mecanografiar	1	5
Copiar a lápiz	10	12
Escribir a tinta	12	15

Suplementos por calor y humedad.

Una persona trabajando a temperatura y humedad superior a la normal (18 oC) se fatiga más que una que trabaja a temperatura normal y seca.

La temperatura y la humedad se miden en dos termómetros uno seco y otro húmedo y los resultados de los suplementos de corrección se dan en la tabla siguiente:

Temperatura	18	1.00										
Termómetro Seco	20	1.02	1.07									
	22	1.04	1.09	1.18								
	24	1.07	1.13	1.22	1.35							
	26	1.11	1.18	1.27	1.40	1.56						
	28	1.17	1.24	1.33	1.46	1.63	1.85					
	30	1.23	1.31	1.40	1.53	1.72	1.96	2.23				
	32	1.31	1.39	1.50	1.64	1.83	2.07	2.35	2.70			
	34	1.39	1.48	1.60	1.75	1.95	2.20	2.49	2.84	3.28		
	36	1.48	1.58	1.71	1.87	2.09	2.34	2.64	2.81	3.45	3.98	
	38	1.58	1.70	1.83	2.01	2.23	2.50	2.80	3.18	3.41	4.18	4.84
Temperatura	40	18	20	22	24	26	28	30	32	34	36	38

Termómetro Húmedo

Problemas resueltos

Ejemplo: Levantar un componente que pese 50 libras (25 Kg). La tolerancia por fatiga es (50 -10) / 4 unidades de 10 libras, o sea, 5% + (4 x 5) = 25% de tolerancia, cuando el peso es levantado continuamente y de lo contrario, se divide el peso por la frecuencia de tiempo.

Tolerancia por retrasos. Cuando algo ocurre que impide que el operario trabaje, como por ejemplo: esperar instrucciones o tareas, esperar material o equipo de manejo de materiales, ruptura o mantenimiento de máquinas, instrucción a otros, asistencia a juntas o autoridades, esperar la puesta en marcha, lesiones o asistencia con primeros auxilios, trabajo sindical, problemas de calidad por responsabilidad del operador, afilar herramientas, nuevos trabajos sin estudios, otros.

Valor punto o punto Bedaux

Es la cantidad de trabajo efectuado por una persona que trabaja a calificación normal, durante un minuto, incluyendo la recuperación correspondiente.

$$V\,P^* = TN\text{ (en minuto)} \times Cr$$

$$V\,P^* = \frac{TN\text{ (en segundos)} \times Cr}{60}$$

$$V\,P^* = \frac{TN\text{ (centésimas de minutos)} \times Cr}{60}$$

Ciclo

Es el tiempo en minutos con suplementos incluidos para efectuar una operación a calificación óptima.

Ciclo = ¾ VP en minuto.

Ciclo = tiempo de máquina + ¾ tiempo de máquina parada con suplementos.

TRABAJO LIMITADO O TIEMPO DE MÁQUINA

Son los elementos que imponen una limitante al tiempo del operario. Ejemplo:

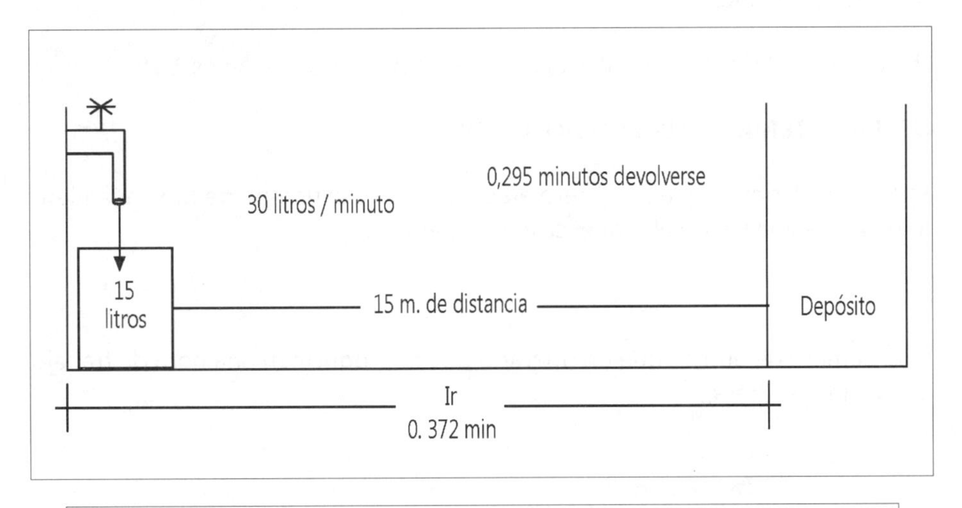

$$\text{Tiempo de máquina} = \frac{\text{T15 litros}}{\text{30 Litros / minutos}} = 0{,}5 \text{ minutos}$$

* **VP Es equivalente a Ts**

Es un tiempo independiente del operario y no puede hacer nada para cambiarlo.

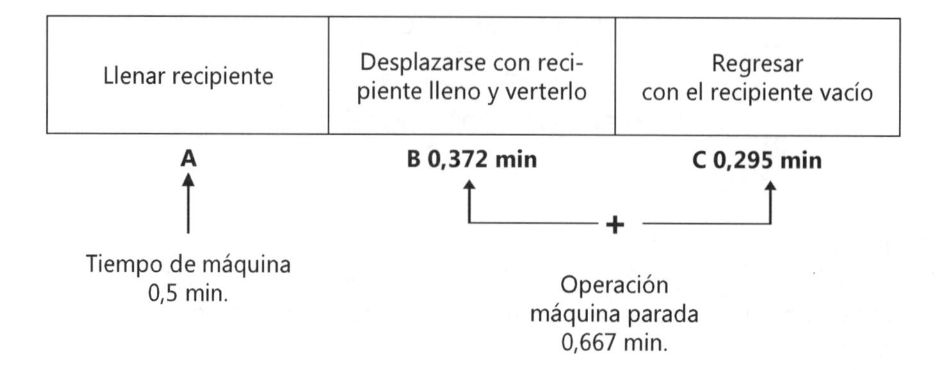

TIEMPO OPERACIÓN MÁQUINA PARADA

Ciclo = tiempo de máquina + ¾ tiempo de máquina parada con suplemento

$$\text{Ciclo} = 0{,}5 \text{ minutos} + (0{,}372 \text{ min} + 0{,}295 \text{ min}) \text{ X} \frac{Cn}{Co} = 0{,}5 + 0{,}667 \frac{Cn}{Co} \text{ X } 1.18$$

= 1.090295 minutos

Nota: En condiciones normales el coeficiente de recuperación es 1.18.

OPERACIÓN MÁQUINA FUNCIONANDO

Son las operaciones que un obrero efectúa durante el tiempo de funcionamiento de la máquina, y no afecta el ciclo de operación.

SATURACIÓN

Es el número de puntos que un operario puede producir en una hora de trabajo (operaciones / hora).

$$\text{Saturación} = \frac{60 \text{ min.}}{\text{ciclo}} \text{ x VP total} = \frac{60}{1{,}090295} \text{ x } 0{,}667 = 36.70$$

VALOR PUNTO O PUNTO BEDAUX

Es la cantidad de trabajo efectuado por una persona que trabaja a calificación normal, durante un minuto, incluyendo la recuperación correspondiente.

Con esto podemos dar un valor punto (V P) a toda operación donde se conozca el tiempo total en minutos.

(tiempo estándar =tiempo normal x coeficiente de recuperación)

V P = tiempo estándar (en minutos)

tiempo estándar = tiempo normal + suplemento

tiempo estándar = tiempo normal en minutos x coeficiente de recuperación)

$$V\,P = \frac{\text{tiempo normal en segundos x coeficiente de recuperación)}}{60}$$

$$V\,P = \frac{\text{tiempo normal (centésimas de minutos x coeficiente de recuperación)}}{100}$$

La utilización del punto como unidad de trabajo permite hacer comparaciones entre operaciones diferentes.

Es suficiente determinar el V P de cada operación, pues un punto representa siempre la misma cantidad de trabajo.

La sola cosa que cambia es la proporción entre el trabajo y la recuperación. Ej el TN para subir una escalera sin carga con piso en buen estado = 30 seg. Calcular el VP con un coeficiente de recuperación = 1,45

$$V\,P = \frac{\text{TN en segundos x coeficiente de recuperación}}{60}$$

$$V\,P = \frac{\text{30 segundos x 1,45}}{\text{60 segundos / minuto}} = 0{,}725 \text{ minutos}$$

El Valor Punto de un elemento de una operación efectúa los siguientes pasos:

- Observar el elemento de la operación, medir los tiempos y estimar la calificación.
- Descomponer el cronometraje para determinar el tiempo y la calificación del elemento de la operación.
- Calcular el tiempo normal por medio de la fórmula:

$$T\,N = \frac{\text{tiempo observado x calificación observada}}{60}$$

- Asignar el coeficiente de recuperación, dado por las tablas.
- Calcular el V P mediante dos fórmulas:

$$V\,P = \frac{\text{tiempo normal (en segundos) x coeficiente de recuperación)}}{60 \text{ seg / min}}$$

$$V\,P = \frac{\text{tiempo normal (centésimas de minuto) x coeficiente de recuperación}}{100}$$

EJERCICIOS:

1. TN = 53 Seg. Coeficiente de recuperación = 1,20 V P =?

$$V\,P = \frac{53 \text{ seg. x } 1{,}20}{60 \text{ seg / min}} = 0{,}06 \text{ minutos}$$

2. TN = 75 centésimas de minuto; coeficiente de recuperación = 1,15. V P = ?

V P = 0,75 min. x 1,15 = 0,8625 min.

3. El cronometraje de una operación resultó 25 minutos con cal. 75 TN = ?

$$TN = \frac{25 \text{ min x } 75}{60} = 31{,}25 \text{ minutos}$$

4. Cuál es el coeficiente de recuperación de la operación subir una escalera sin carga? Es 1,8 . Según tabla de suplementos.
5. El porcentaje de recuperación para subir una escalera sin carga es de 30% (escalones en buen estado). Calcule el coeficiente corregido si las condiciones ambientales son termómetro seco = 32 y termómetro húmedo =22.

   Factor 1,5: 0,30 x 1,5 = 0,45

   Coeficiente corregido = 1,45

6. Si el TN de la operación subir una escalera sin carga, escalones en buen estado, es de 30 segundos, cuál será el V P de esta operación si el coeficiente de recuperación es de 1,45.

$$V\,P = \frac{30 \text{ seg}}{60 \text{ seg / min}} = \text{x } 1{,}45 = 0{,}725 \text{ minutos}$$

Es evidente que para medir mejor una operación, se debe descomponer en operaciones elementales.

7. Ej.: Para confeccionar una pieza de madera, se puede:

   a. Descomponer en tres elementos:

Desplazar la tabla y trazar	0,250 min
Perforar un hueco	0,185 min
Aserrar	0,215 min

   b Luego se determina el V P de cada una de estas operaciones.

   c. Calcular el V P de la operación, es decir el tiempo estándar de la operación.

   d. El V P de una operación, es decir el V P total de una operación, se obtiene adicionando los V P de cada elemento de la operación:

$$V\ P = 0{,}250 \text{ min} + 0{,}185 \text{ min} + 0{,}215 \text{ min} = 0{,}65 \text{ min}$$

8. Calcular el VP de la operación constituida por las cuatro operaciones elementales a las que se midieron los valores detallados en el siguiente cuadro:

	X^2	Calificación	Tiempo Seg.	Tiempo Normal	Coeficiente de Recuperación	VP
Tomar el material	144	75	12	15?	1,12	0,28
Meter en el barril	225	65	15	16,25?	1,15	0,31
Enroscar	784	70	28	32,66?	1,08	0,588
Apretar	484	75	22	27,50?	1,10	0,504
	1.637	VP. TOTAL	77			1,682

$$\left(\frac{\frac{2}{0{,}05}\sqrt{4 \text{ X } 1{,}167 - (77)^2}}{77}\right)^2 = \left(\frac{40\sqrt{6{,}548 - 5{,}929}}{77}\right)^2 =$$

$$\left(\frac{40\sqrt{619}}{77}\right)^2 = \left(\frac{40 \quad 25}{77}\right)^2 = \left(13\right)^2 = 169$$

El número de observaciones de la operación equivale a 169.

9. Calcular el VP final por cada 50 piezas de la operación, fabricar una pieza de madera de 2 huecos y empacarlas en cajas de 50 piezas, sabiendo que se llevan cada vez 10 cajas al almacén. Los elementos de la operación y los VP son:

	VP de elementos	**Frecuencia por caja**	**VP Minuto por caja**
Transportar tabla y trazar	0,250	50?	12,500
Perforar	0,119	100?	11.900
Aserrar	0,215	50?	10,750
Colocar 50 piezas en la caja	0,925	1?	0,925
Cerrar y etiquetar caja	2,322	1?	2,322
Llevar las cajas al almacén	3,150	1/10?	0,315
Calcular el TE total	**Total**		**38.712**

Hasta aquí hemos visto:

- Desarrollo, selección de tiempos y calificación.
- Calcular el tiempo normal.
- Determinación de los tiempos suplementarios.
- Calcular el tiempo total.
- Determinar la frecuencia.
- Calcular el VP total de una operación.

CICLO

El ciclo de una operación, es el tiempo en minutos con suplementos incluidos para efectuar una operación a calificación óptima.

60 es igual a ¾ de la calificación óptima: calificación normal = ¾ calificación óptima

60 = ¾ 80

Tiempo a calificación óptima = (80) = ¾ de VP = Ciclo

Ciclo = ¾ VP

Y como el tiempo a calificación óptima = Ciclo

Ciclo = ¾ de valor punto

10. Calcule el ciclo de las operaciones cuyos VP son:

VP	CICLO
18,4	13,8
2,6	1,95
3,2	2,4

Trabajo limitado o tiempo de máquina

Son los elementos que imponen una limitante al tiempo del operario.

Ejemplo: Llenar un reservorio con un tanque de 15 litros. El reservorio está localizado a 15 metros de una llave que suelta 30 litros / minuto.

Los valores punto son:

	VP	$\frac{15 \text{ litros x minuto}}{30 \text{ litros}} = 0,5$
Desplazarse con el tanque lleno y vaciarlo al reservorio.	0,372	↓
Regresar con el tanque vacío y colocarlo bajo la llave	0,295	0,5 min.

- Este tiempo es independiente del operario, él no puede hacer nada para cambiarlo.
- Este tiempo se llama TIEMPO DE MÁQUINA, es el tiempo independiente del operario, impuesto por un elemento que interviene el proceso, expresado en minutos.
- Calcule el tiempo de máquina si la llave suelta 15 litros por minuto.

Tiempo de máquina = 1 minuto

$$\frac{15 \text{ litros x minuto}}{15 \text{ litros}} = 1 \text{ minuto}$$

11. En una operación de cocinar, el tiempo de demora en hornear es de 2 horas por Kg. ¿Cuál será el tiempo de máquina para una pieza de 100 gramos?

$$\text{T.M.} = 2 \text{ horas / Kg. x } 100 \text{ gramos} \quad \frac{1 \text{ Kg.}}{1000 \text{ grs.}} \text{ x } \frac{60 \text{ minutos}}{\text{Horas}} = 12 \text{ minutos}$$

Operación máquina parada

Durante el desplazamiento del operario con el recipiente lleno, lo vierte en el reservorio y regresa con el recipiente vacío, la llave no suelta agua. Esta operación la llamamos OPERACIÓN MÁQUINA PARADA.

Tiempo total = tiempo de máquina + tiempo para efectuar la operación

Ciclo = tiempo de máquina + tiempo óptimo con suplementos de las operaciones máquina parada.

1. Si una operación tiene un tiempo de máquina de 10 minutos y si la operación máquina parada tiene un valor punto de 6, el ciclo será:

   Ciclo = 10 min + 6 min x 0,75 = 14,5 minutos.

2. Una operación tiene un tiempo de máquina de 6 minutos. El valor punto de la operación máquina parada es de 4 puntos. ¿Cuál será el ciclo?

   CICLO = T.M. + 0,75 VP = 6 min + 0,75 X 4 = 9 Minutos

3. Calcule el ciclo para la operación:

   Tiempo Máquina = 8 minutos

   Tiempo Máquina Parada = 8 puntos

   CICLO = 8 min + 8 x 0,75 = 14 minutos

4. Calcule el ciclo de las operaciones siguientes:

   Tiempo máquina , VP, operación, ciclo

	Tiempo máquina	VP	Operación, ciclo
A	15 Segundos	0,600	15 seg /60 seg / min x 0,6 x 0,75 = 0,7 Minutos
B	10 horas	720	10 hr x 60 min / hr + 720x 0,75 = 1.140 Minutos?
C	3 minutos	12	3 min + 12 X 0,75 = 12 minutos?
D	1 día	320	24 hr x 60 min / hr + 320 x 0,75 = 1.680 minutos**?**

Operaciones máquina funcionando

Son las actividades que el operario efectúa durante el tiempo de funcionamiento de la máquina.

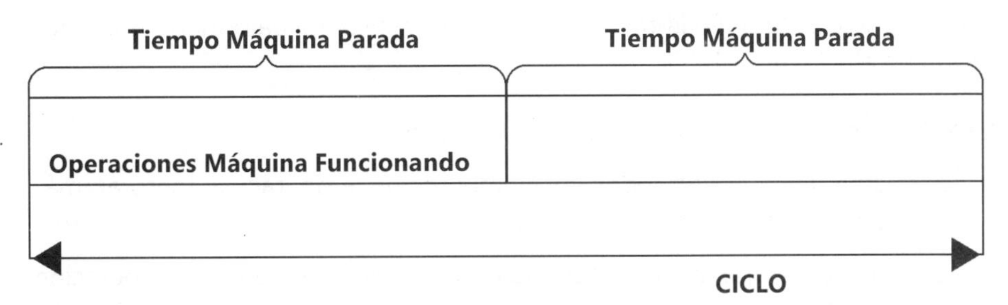

Las operaciones efectuadas con máquina funcionando no afectan el ciclo de la operación.

VP máquina funcionando + VP máquina parada = VP Total

$$\text{Tiempo de ciclo} = \frac{\text{Tiempo disponible de un operador}}{\text{Producción diaria}} \quad \text{X Eficiencia}$$

TIEMPO MÁQUINA

OPERACIÓN MÁQUINA PARADA

Cocinar pieza 6 minutos	Sacar pieza del horno	Meter pieza del horno
Preparar pieza siguiente	T.E. = 3 min.	T.E. = 1 min.

Operación Máquina Funcionando

CICLO

CICLO = 6 min + (3 + 1) min x 0.75 = 9 minutos.

Calcule el VP total de la operación:

	Sacar pieza	Meter pieza
Preparar pieza siguiente	VP = 3	VP = 1
VP = 3		

VP TOTAL = VP preparar pieza siguiente + VP sacar pieza + VP meter pieza

VP Total = 3 + 3 + 1 = 7 puntos

Sabemos que en trabajo libre, un solo valor es suficiente para medir una operación en el VALOR PUNTO.

En el trabajo limitado, dos valores son necesarios:

a. Suma de los VP de todos los elementos de la operación, tanto en máquina funcionando como parada.
b. CICLO, tiempo en minutos necesarios para efectuar una operación cuando las operaciones máquina parada son efectuadas a calificación óptima.

Saturación

Es el número de puntos que un operario puede producir en una hora de trabajo.

$$\text{Saturación} = \frac{60 \text{ minutos}}{\text{Ciclo}} \text{ X VP Total}$$

Ejemplo 1. Supóngase que nosotros hemos determinado para una operación los valores siguientes:

- Tiempo máquina = 10 minutos
- VP operaciones máquina parada = 13,3 minutos
- VP operaciones máquina funcionando = 4,0 minutos

¿Cuál es el valor del ciclo? Y ¿Cuál el número de operaciones por hora? ¿Cuál la saturación?

CICLO = TM + 0,75 VP operaciones máquina parada
= 10 min + 0,75 x 13,3 min = 19.975 = 20 minutos

Operaciones por hora:

$$\frac{60 \text{ minutos}}{\text{Ciclo}} = \frac{60}{20} = 3 \text{ operaciones por hora}$$

Saturación = operaciones por hora x VP Total
= 3 x (Op. M.P. + Op. M.F.)
= 3 x (13,3 + 4,0) = 51,9 puntos / hora

2. El ciclo de una operación es de 12 minutos. El valor punto total de operaciones máquina funcionando y máquina parada es de 6 puntos. ¿Cuántos puntos por hora produciría un operador? O más exactamente ¿Cuál será la saturación?

Saturación = operaciones / hora x VP Total

$$\text{Saturación} = \frac{60 \text{ minutos}}{12 \text{ minutos}} \times 6 = 30 \text{ Puntos}$$

3. Calcule la saturación del operador para la operación siguiente:

   Tiempo máquina = 4 minutos

   VP máquina parada = 8 puntos

   VP máquina funcionando = 4 puntos

   Ciclo = T.M. + 0,75 (VP máquina parada)

   Ciclo = 4 + 0,75 x 8 = 10 minutos

$$\text{Operaciones por hora} = \frac{60 \text{ minutos/hora}}{10 \text{ minutos}} = 6 \text{ operación / hora}$$

   Saturación = operaciones / hora x VP Total

   Saturación = 6 x (8 + 4) = 6 x 12

   Saturación = 72 puntos

Resumen

1. $$TN = \frac{To \times Co}{60}$$

2. $$VP = \frac{TN. \times \text{coeficiente de recuperación}}{60}$$ Si TN es dado en Segundos

3. CICLO = tiempo máquina + 0,75 VP operación máquina parada

4. $$\text{SATURACIÓN} = \frac{60}{\text{Ciclo}} \times \text{VP Total}$$

5. En el cronometraje de una operación hay tres factores que pueden influenciar en el tiempo de ejecución:
   - EL MÉTODO DE OPERACIÓN.
   - LA PRECISIÓN.
   - LA RAPIDEZ.

6. Sobre la escala BEDAUX, las calificaciones están graduadas de 0 a 80 a qué corresponden estas calificaciones?
   - Calificación óptima = 80
   - Calificación normal = 60
   - Repaso absoluto = 0

7. Caminar sobre una superficie lisa, plana, sin carga a una temperatura normal y a una rapidez de 1,25 m / seg. ó (4,5 Km. / hora), qué tipo de calificación es?

8. Para una calificación determinada, el tiempo de ejecución de una operación es de 30 segundos. Si la calificación se dobla, cuál será el tiempo de ejecución?

X	30 seg.	$t = \frac{30}{2}$ 15 seg.
2 X	t	

9. Si los tiempos y sus calificaciones son los siguientes:

TIEMPO X CALIFICACIÓN = KTE

t_1	=	30 seg. X Cal.	40	1.200
t_2	=	15 seg. X Cal.	80	1.200
t_3	=	60 seg. X Cal.	20	1.200

¿Qué puede concluir?

10. Los tiempos necesarios para la ejecución de una operación a calificación normal. Cómo se llaman?

11. Conociendo el tiempo de ejecución de una operación y su calificación, ¿Qué fórmula aplica para encontrar el tiempo normal de esta operación?

12. Un obrero gasta 8 segundos a calificación 75 para cortar una pieza de madera. ¿Cuál es el tiempo normal de esta operación?

13. La calificación de un individuo normal que ejecuta su tarea sin pérdida de tiempo con el mínimo de movimientos y el máximo de seguridad se llama: CALIFICACIÓN ÓPTIMA.

14. Si uno toma un grupo de operarios remunerados por un salario estimulante (con prima) ¿A qué porcentaje tenderá a trabajar a calificación óptima? ____%

15. Cuál es el porcentaje de operarios que puede esperarse alcancen la calificación 60? ____%

16. El TN de una saturación es de 24 segundos, calcule el tiempo que un operario gastará al hacer la misma saturación a calificación 80?

17. A partir de las calificaciones y los tiempos registrados en un cronometraje, escoja la calificación que representa la saturación.

50	55	60	65	70	75	80	85
16	14	12	12	11	111	10	9
	15	13	12	11	11	10	
	14	16	12	11	11	10	9
		13	12	11	12	10	
		13	12	12		10	
		13	12	11			
		13	13	11			
		14	12				
		13	12				
		12	12				
		12	12				
			13				
			12				
			12				
			12				
			12				
			12				

T = C =

18. Qué coeficientes de recuperación se deben aplicar a las saturaciones siguientes?

Subir una escalera sin carga. _________

Llevar al hombro una repisa de 20 Kg. hasta 5 m de distancia sobre un buen piso ___________

19. Cuál es el factor de corrección a aplicar, si las condiciones son:

Termómetro seco	=	25°
Termómetro húmedo	=	20°
Factor de corrección	=	___________

20. Saturación es la cantidad de trabajo efectuada por un operario que trabaja a calificación normal durante un minuto tomando la recuperación correspondiente.

21. El tiempo total de una operación en trabajo libre es:

    Tiempo total = Tiempo normal + suplementos

22. Cuántos puntos consume una saturación donde el tiempo total es de 8 minutos?

    -----------puntos.   Puntos = Tiempo Total

23. Escriba la definición de punto Bedaux o Valor Punto.

    Es la cantidad de trabajo efectuado por una persona que trabaja a calificación normal durante un minuto, tomando la recuperación correspondiente.

    Punto Bedaux = Tiempo normal + suplementos

24. La fórmula de valor punto es la siguiente:

    VP = Tiempo normal (en minutos) x coeficiente de recuperación

    a. Calcule el valor punto de la operación:

       TN. = 20 seg. coeficiente de recuperación = 1.12

$$V\,P = \frac{30 \text{ segundos} \times 1{,}45}{60 \text{ segundos / minuto}} = 0{,}725 \text{ minutos}$$

26. Cuál es el valor punto Total de la operación siguiente:

	Descripción del elemento	VP del elemento	Frecuencia	VP por pieza
A_1	Tomar placa	0,096	1	0,096
A_2	Revelar	0,135	1	0,135
A_3	Soldar resistencia	0,225	5	1,125
A_4	Evacuar 10 placas	0,300	1/10	0,03
				1,386 puntos

27. El tiempo en minutos, incluido, los suplementos para efectuar una operación a calificación óptima se llama CICLO de una operación.

Ciclo = ¾ del valor punto

28. El ciclo de una saturación es dado siempre en MINUTOS.

29. Calcule el ciclo de las operaciones:

VP	CICLO
A. 52	3,9 Minutos
B. 6,4	4,8 Minutos
C. 36.00	27,6 Minutos

30. El ciclo es el tiempo en minutos, incluidos los suplementos para efectuar una operación a calificación óptima.

31. Si representamos la operación "llenar reservorio" de la siguiente forma:

Llenar recipiente	Desplazarse con recipiente lleno y verterlo	Regresar con recipiente vacío
A	B	C

Cuál es el elemento "TIEMPO MÁQUINA" = A

Cuál es el elemento o los elementos "operación MÁQUINA PARADA" = B C

32. En trabajo limitado el:

CICLO = Tiempo máquina + tiempo óptimo, con suplementos incluidos de la operación MÁQUINA PARADA

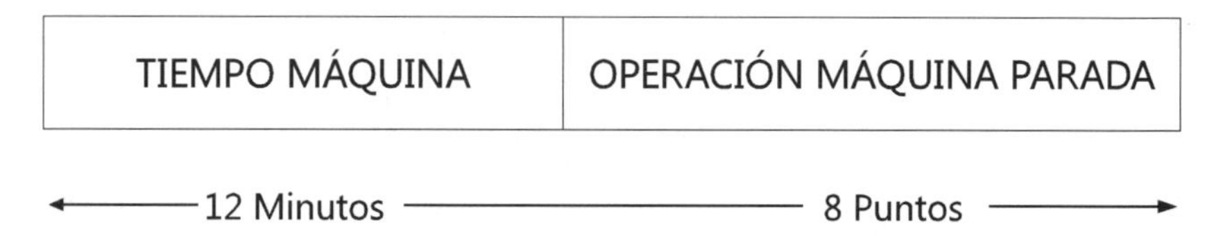

Si una operación, tiene un tiempo máquina de 12 minutos y si la operación máquina parada tiene un valor de 8 puntos. ¿Cuál será el CICLO?

CICLO = 12 minutos + 0,75 X 8 = 18 minutos.

33. El trabajo efectuado durante máquina parada se llama saturación máquina parada y el trabajo durante ese tiempo se llama operación MÁQUINA FUNCIONANDO.

34. Saturación es el número de puntos que un operario puede producir en una hora de trabajo.

35. Si el ciclo de una operación es de 20 minutos, cuánto trabajo puede hacer un operario en una hora? 60/20 = 3 operarios por hora.

36. Para encontrar la saturación, se debe multiplicar el VP Total de la operación por el número de operación hechas en 1 hora.

37. El tiempo de la operación máquina parada es de 8". El tiempo de las operaciones máquina funcionando es de 4". El tiempo máquina es de 14 minutos ¿Cuál será la saturación?

Ciclo = 14 + 0,775 x 8 = 20 minutos

Número de operaciones hechas en una hora = 60/20 = 3 oper. / hora.

saturación = (8 + 4) x 3 = 36 punto.

EJERCICIOS POR RESOLVER

1. Se ha realizado un estudio de tiempos en una máquina de trabajo ligero. Para este tipo de operación se estima que 405 minutos de la jornada diaria son aprovechables por el operador para ejecutar la tarea. Complete los cálculos y determine el tiempo estándar y el número de piezas por hora estándar.

	CICLOS										SUMARIO			
Desc. Elem.	1	2	3	4	5	6	7	8	9	10	T	T	RF	TN
A	.14	1.32	2.49	3.62	4.79	5.96	7.11	8.28	9.45	10.59			.85	
B	1.06	2,24	3.40	4.54	5.71	6.87	8.03	9.19	10.36	11.52			100	
C	1.15	2.33	3.48	4.62	5.81	6.96	8.11	9.29	10.45	11.62			105	

2. a. ¿Qué nombre reciben movimientos tales como sostener, coger, etc.?______________

   b. Nombre dos razones por las cuales se divide una operación en elementos ____

   c. En el diagrama de proceso de la operación, la numeración de las actividades va de izquierda a derecha? ________

   d. Qué se entiende por balanceo de línea?

   e. Determine el tiempo estándar con los siguientes datos: TN = 0.42 min. / pz

   El trabajador pierde inevitablemente ¾ de hora en el turno de 8 horas.

3. Se han hecho ya 200 observaciones en un muestreo, a los trabajadores en una empresa; 64 de esas observaciones han correspondido a tiempos perdidos por parte de los trabajadores. Cuántas observaciones adicionales deberán hacerse, si el error del muestreo en la estimación del tiempo perdido se ha especificado en I = 0.06 y c = 0.90?

4. Cuál es el intervalo de confianza para la estimación de tiempo perdido cuando: N = 200 y c = 0.90? ; para c = 0.90 corresponde @ = 0.645.

5. Determine el estándar de tiempo de lo siguiente:

TRABAJO	No OBSERVA.	%	HORAS	UN. PROD.	HRS/UN. NORMAL	HRS/ UN. ESTÁNDA
1	5.000			2.900		
2	10.000			8.800		
3	20.000			25.000		
OCIOSO	15.000			_		
TOTAL	50.000	100%	4.250			

AGREGUE EL 10% DE TOLERANCIA. ¿CUÁL ES LA EFICIENCIA?

¿Qué técnica de estándares de tiempo utilizaríamos para los tiempos de ciclo y volúmenes de producción de la tabla siguiente?

Tpo. de ciclo	**Los 1000 altos**	**Los 100 medios**	**Los 10 bajos**
Largo			
Medio			
Corto			

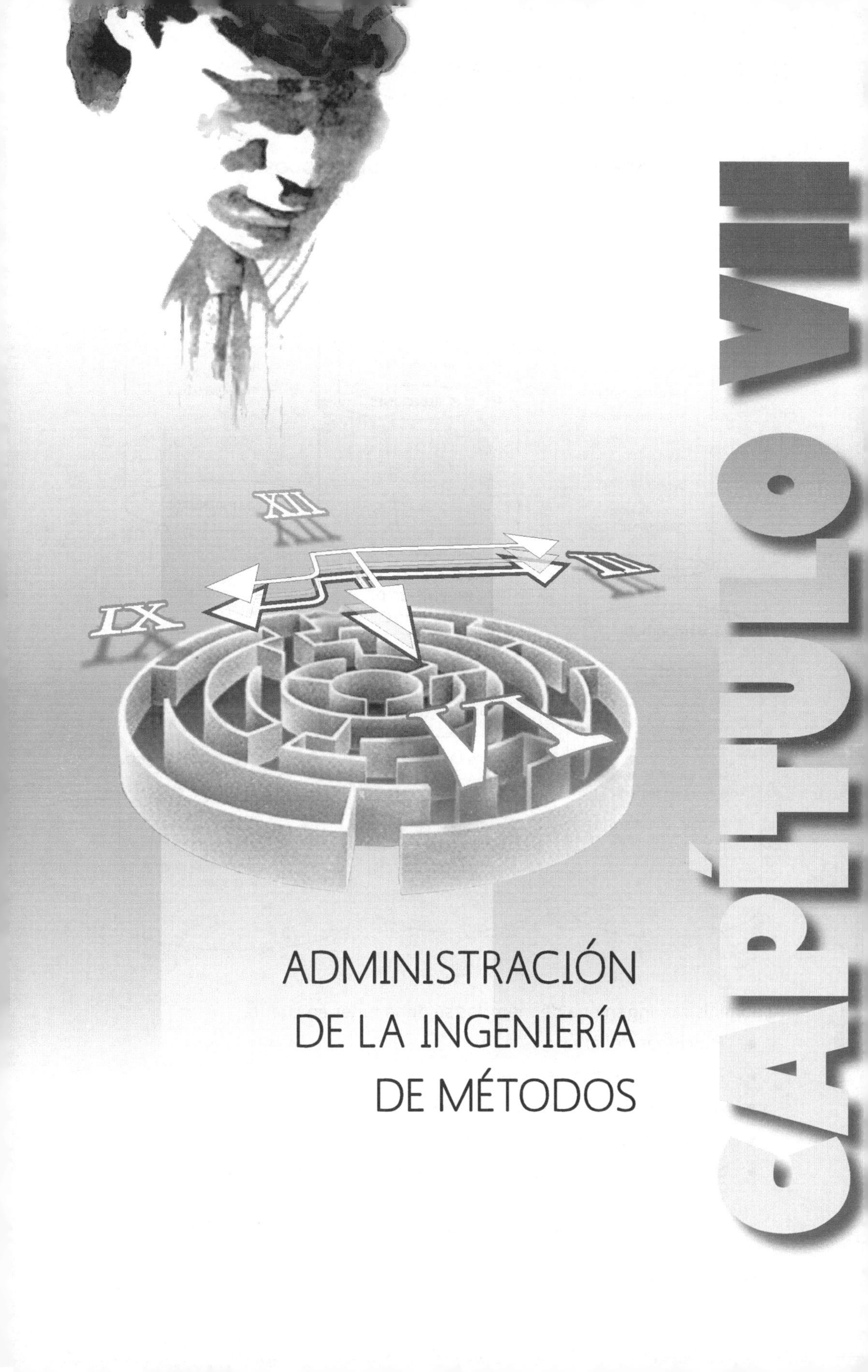
CAPÍTULO VII
XII
III
IX
VI
ADMINISTRACIÓN
DE LA INGENIERÍA
DE MÉTODOS

GRÁFICA 52. ADMINISTRACIÓN INGENIERÍA DE MÉTODOS

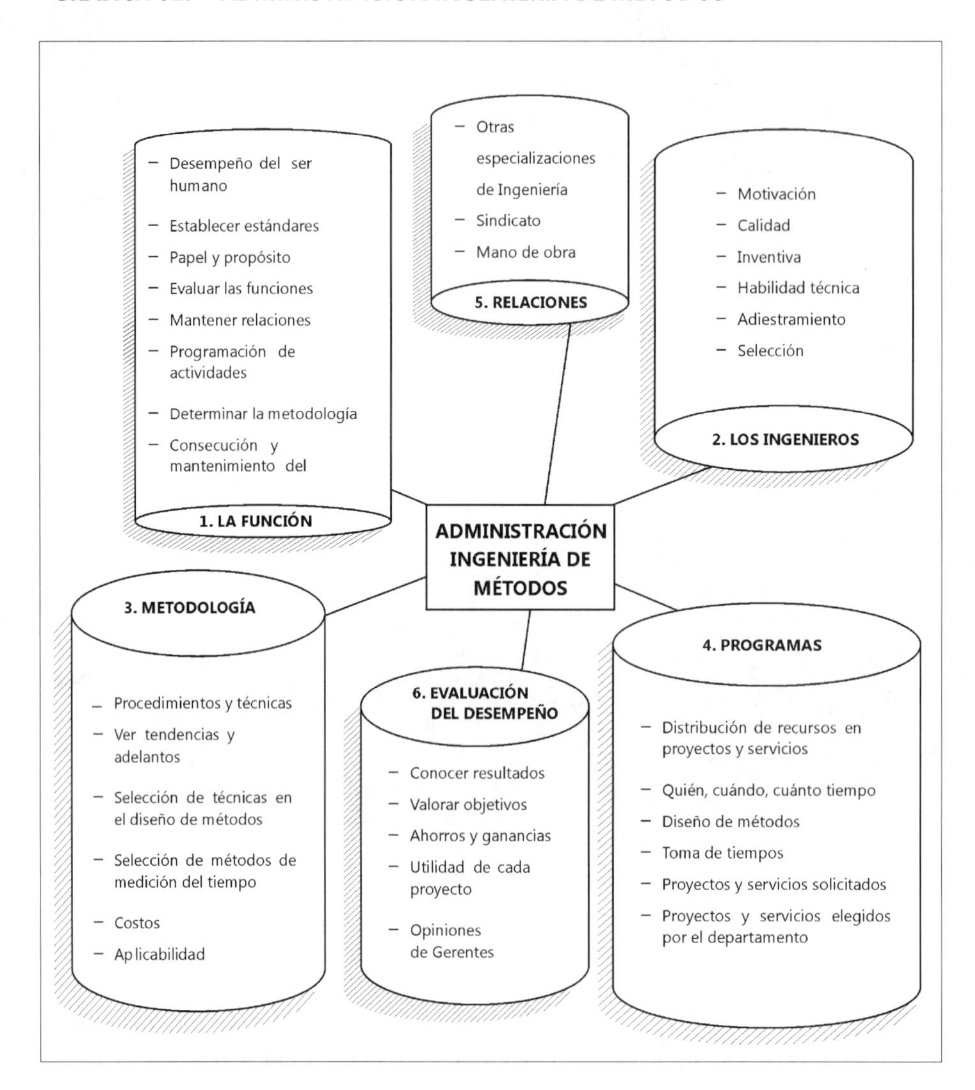

Al administrar ingeniería de métodos se debe tener en cuenta:

- Funciones del área:
- Papel y propósito de ingeniería de métodos.
- Desempeño de las personas en la producción.
- Establecimiento de los estándares.
- Ser el principal consejero en las decisiones sobre dónde encaja el ser humano en el proceso de producir bienes y / o servicios.
- Determinar la forma como el ser humano desempeñará su función.

- Ser el principal motivador y catalizador de las mejoras en los métodos de trabajo.
- Establecer estándares de ejecución del trabajo para fines de planeación y control.
- Servir como consultor en política de empresa, ingeniería del producto y el contrato colectivo en relación con los planes de incentivos, salarios y capacitación.
- Estudiar nuevas tecnologías.

2. Consecución y mantenimiento del personal necesario conforme a:
   - Las habilidades técnicas en estadística, diseño de estudios de muestreo, tiempos predeterminados, biomecánica, ingeniería humana, ergonomía, simulación etc.
   - Saberes y conocimientos en métodos de solución de problemas.
   - Inventiva, innovación y creatividad para el diseño de métodos y medición del trabajo.
   - Habilidad para ganar la aceptación, obtener la cooperación efectiva, respeto y confianza de las demás personas de la compañía.
   - Mejoramiento continuo de su desempeño a largo plazo, por medio de estímulo, asesoramiento, capacitación, asistencia a conferencias y relación con otras organizaciones. Conocimiento de los resultados de calidad y desempeño. Entrenamiento continuo, dirigido hacia los constantes cambios.

3. La metodología empleada en el cumplimiento de las funciones, debe tener aplicabilidad, aceptabilidad y costo justo. Debe en consecuencia establecer:
   - Políticas, organización y principios para lograr eficiencia, eficacia y productividad.
   - Seleccionar los procedimientos y técnicas para equipar el departamento.
   - Tener conciencia de las tendencias y adelantos industriales y profesionales.
   - El sistema de medición del trabajo, seleccionado de acuerdo al equilibrio entre la relación costo beneficio que el método proporcione.

4. Programación de los recursos necesarios en el desarrollo de los proyectos y actividades encomendadas. Comprenderá:
   - Diseño de métodos nuevos o rediseños requeridos por otros departamentos o elegidos por ingeniería.

- Estudio de tiempos requeridos por otros departamentos o elegidos por ingeniería.
- Mantenimiento de estándares.
- Otros estudios de productividad como ingeniería limpia, eliminación del desperdicio, señalización, seguridad industrial, etc.

5. Relaciones humanas para encontrar la cooperación necesaria y disminuir la resistencia al cambio. A nivel interno tenemos:
   - Gerencial, para conservar la confianza, cooperación y respaldo. La satisfacción de la gerencia, con los logros técnicos de ingeniería contribuye a mantener una actitud armoniosa y de simpatía.
   - Departamental, para apoyar sus actividades y lograr su cooperación, comunicación e intercambio de ideas e información.
   - Supervisión, para lograr su colaboración sugiriendo ideas y problemas para resolver en distintas áreas productivas, suministrando información de la producción y la actuación de los trabajadores, contribuir a que la solución de un problema de manufactura sea mejorada, inculcar una actitud de compromiso de los trabajadores hacia la solución de problemas, colaborar en el establecimiento de estándares.
   - Mano de obra, para que sirva como fuente de información e ideas, mejoramiento y simplificación de nuevos métodos.
   - Sindicatos, para evitar la resistencia al cambio, protesta y clima antagónico de las relaciones obrero-patronales. Se requiere familiarizarlos con los objetivos y procedimientos de la ingeniería de métodos. Mantener un canal abierto de comunicación a través del cual puedan expresar sus puntos de vista y objeciones, prever la reacción antes de decidir aplicar los cambios de métodos, cargas de trabajo, procedimientos y políticas.

   A nivel externo:
   - Con clientes, para obtener información sobre la calidad, funcionalidad, estética y garantía de los productos y/o servicios.
   - Con otras empresas, para intercambiar ideas y conocimientos.
   - Con universidades y organizaciones gremiales, para conocer tendencias tecnológicas y profesionales.

6. Evaluación del desempeño, que justifique la presencia de la ingeniería de métodos en la organización, mediante el mejoramiento continuo de los métodos y la productividad de los recursos empleados. Es indispensable el conocimiento de los resultados anteriores. Valorar los objetivos generales de ingeniería, los ahorros y las ganancias en la inversión de cada proyecto. Todo esto se logra mediante:

- Opiniones del gerente y de otras personas en la organización, con respecto a la calidad del trabajo desarrollado por ingeniería.
- La frecuencia con la que otros, en la organización, solicitan los servicios de ingeniería.
- Se rinden los mejores resultados si el personal es competente.
- El buen uso del tiempo, la distribución de los esfuerzos y las buenas relaciones con el resto de la organización, demuestran que el desempeño de ingeniería está rindiendo beneficios sustanciales.

7. Mejoramiento del desempeño. Para mejorar el sistema de ingeniería de métodos, es indispensable conocer los resultados históricos, los hechos y cifras, y el desempeño de los recursos humanos que los respaldan y que son recogidos mediante evaluaciones y auditorías que parten del conocimiento de las funciones, los objetivos y la efectividad del trabajo ejecutado.

   Los resultados se evalúan en términos de:
   - Las funciones que el departamento debe satisfacer en la organización y que se evalúan mediante:
   - La opinión de los distintos entes de la organización.
   - La demanda de los servicios al departamento.
   - Las instalaciones, los recursos y el modo de operación.
   - La escala de actividad del departamento.
   - La programación de actividades acordes con los objetivos generales.
   - Las buenas relaciones con todos los departamentos de la compañía que le merecen la confianza y el respaldo de la gerencia.
   - La capacidad, técnica, entusiasmo e inventiva para trabajar con los demás miembros de la organización.

- Los ahorros y las ganancias en la inversión de los proyectos realizados.
- La disminución de la fatiga de los trabajadores.
- La eliminación de los accidentes de trabajo.
- El mejoramiento de las condiciones ambientales.
- La motivación de los recursos humanos, mediante un plan de incentivos.
- La conservación de los recursos naturales.
- El buen manejo de los desechos y desperdicios.

En virtud de los rápidos cambios en la tecnología, en la producción y en la administración, es conveniente revisar con frecuencia los propósitos básicos de la actividad del departamento para lograr un mejor desempeño, con mejor equipo, métodos y personal.

Los buenos resultados dependen de una buena planeación, organización, dirección y control de la manufactura y del plan de incentivos. Como el trabajo y el medio ambiente cambian constantemente, es indispensable someter a permanentes auditorías los métodos, los tiempos, los movimientos, los procesos, los ambientes y la preparación de los operarios.

Los estándares inconsistentes significan costos ocasionados por:

- Fallas en la programación, pronósticos y presupuestos.
- Mal ambiente, insatisfacción y baja moral del personal.
- Injusticias en la aplicación del plan de incentivos y en las recompensas a los operadores que ayudan a mejorar los métodos.
- El mejoramiento de métodos implica mejoramiento de las condiciones de fatiga y de las recompensas para el trabajador para aprovechar el potencial de producción.
- Un cambio en métodos necesariamente debe conducir a un ajuste en los estándares.

Un buen procedimiento para mantener una buena estructura de estándares consiste en:

- Prevenir la obsolescencia de los métodos a través de:
- Mejorar el método antes de establecer el estándar.
- Mejorar las condiciones ambientales del trabajo.
- Hacer un registro detallado del método y las condiciones en que se basó el tiempo estándar.
- Hacer auditorías periódicas de los métodos y de las condiciones ambientales.
- Capacitar a la supervisión y personal de oficina para hacerlos conscientes de la importancia de mantener los métodos y las condiciones estándares de la operación; informar oportunamente los cambios que se sucedan; cooperar con el éxito del programa instruyéndolo sobre sus funciones en la conservación de los estándares.

- Detectar estándares flojos o demasiado ajustados.
- Corregir oportuna y apropiadamente cualquier inconsistencia de los métodos y los estándares.
- Establecer un atractivo plan de sugerencias.
- Monitorear el sistema máquinas y mantenimiento, calidad, rediseño del producto o la pieza para corregir desviaciones o cambiar si es necesario.

EJERCICIOS

1. Investigar los diferentes planes de incentivos, su factibilidad económica, sus formas de pago y los costos que representan.

2. ¿Cuál debe ser el método más económico y apropiado para establecer tiempos estándares en cada uno de los siguientes casos:
   - Manejo de materiales en almacenes.
   - Operaciones de maquinado de ciclo largo.
   - Operaciones manuales para productos de bajo volumen.
   - Fábricas cuyo trabajo se hace por pedidos.
   - Trabajo de mantenimiento y reparación en un taller de mecánica.
   - Cuadrillas de cargue y descargue de mercancía.
   - Ensamble de productos de alto volumen y muchos operadores.

3. Sugiera medidas, políticas, criterios, creencias, valores y procedimientos para mantener un clima favorable a nivel empresa y departamento de ingeniería de métodos.

4. ¿ Qué porcentaje de trabajo diario debe dedicar un gerente del departamento de métodos a cada uno de los factores del ciclo administrativo, como planear, organizar, dirigir, controlar?

5. Diseñar un método para calcular el desempeño y productividad del personal de producción.

6. Diseñe un método de mejoramiento continuo que estimule la participación de los empleados.

7. Describa las competencias que deben tener las personas que trabajen en ingeniería de métodos.

8. Idear sistemas para medir y evaluar la productividad de las máquinas en las empresas.

CAPÍTULO VIII

PROBLEMAS ESPECIALES DE INGENIERÍA DE MÉTODOS

Balanceo de línea de ensamble

OBJETIVO

Dar a cada operador lo que más se acerque a una misma cantidad de trabajo. Igual para celdas de trabajo, carga de los centros de trabajo y personas.

La estación, celda, centro de trabajo o persona que tenga más trabajo que las otras, es la estación de carga 100%, es decir, la estación del cuello de botella, que es la que limita el flujo de producción de toda la planta.

Si reducimos la estación cuello de botella 5% ahorraremos ese porcentaje en cada estación de la línea. Se puede seguir reduciendo en esta estación hasta que otra estación de la línea se convierta en la estación cuello de botella, la cual asumirá ahora el 100%.

El propósito de la técnica de balanceo de la línea de ensamble es:

- Igualar la carga de trabajo en los centros de trabajo.
- Identificar la operación cuello de botella.
- Establecer la velocidad de la línea de ensamble o ritmo de la planta.
- Determinar el número de estaciones de trabajo que es igual a Ts/Ritmo.
- Determinar el costo por mano de obra de ensamble, que es igual a la sumatoria de Ts en horas por pieza por tasa horario promedio de salario.
- Establecer la carga de trabajo porcentual de cada operador.
- Ayudar en la disposición física de la planta.
- Reducir los costos de operación.

INFORMACIÓN PARA EQUILIBRAR UNA OPERACIÓN DE UNA PLANTA

1. Planos y lista de materiales de ingeniería del producto, que son necesarios que hacer.
2. Volumen requerido para calcular el ritmo de la planta (R = Tiempo disponible de la planta / Demanda) y el tiempo takt de la planta:

   (takt = Ts / R).

   Ts elementales, para saber cuánto tarda una tarea.

Ejemplo para el cálculo del ritmo de una planta.

1. Supongamos un volumen de producción de 1.500 piezas / turno, la venta que el mercadeo logra y que depende de la temporada,
2. Tolerancia de la planta del 10 %, lo que significa que la planta en la jornada de 480 minutos estará parada durante 48 minutos.
3. Grado de eficiencia tomado por experiencia: primer año 70%; segundo año 85%. Si debemos entregar 2.000 unidades por día. ¿Cuál será el ritmo de la planta?

Minutos disponibles = 480 (8 horas x 60 minutos / hora) – (10 %) x480 min. / día

Minutos disponibles = 432 minutos por día.

Minutos efectivos por turno = 432x 75% = 324 minutos.

Ritmo de la planta R = 324 / 1.500 = 0.216 minutos / unidad.

Unidades / minuto =1 / 0.216 minutos / unidad = 4. 63 unidades / minuto.

Prueba: 4. 63 unidades/minuto x 432 minutos/turno x 0.75 = 1.500 un. / turno

BALANCEO DE LA LÍNEA DE ENSAMBLE

N° DE PROD.--- 1 FECHA 2 POR 3	DESCRIPCIÓN DEL PROD. 4 N° UN. REQ. POR TURNO 5	CAL. DEL VALOR **"R"** 6	PRODUCTO ACTUAL = $\frac{\text{365 MINUTOS}}{\text{UN REQ. TURNO}}$ = R NUEVO PRODUCTO = $\frac{\text{365 MINUTOS}}{\text{UN REQ. TURNO}}$ = R

N°	DESCRIPCIÓN OPERACIÓN	VR. R	TPO. DEL CICLO	N° DE ESTACIONES	TIEMPO PROMEDIO DEL CICLO	% DE CARGA	BALANCEO DE LÍNEA EN HORAS POR 1.000	BALANCEO EN PZ POR HORA
7	8	9	10	11	12	13	14	15
								16

1 Nº DE PRODUCTO: se escribe el número del plano del producto o de su parte.

2 FECHA: fecha de la solución.

3 POR: nombre de quien hace el balanceo de la línea.

4 DESCRIPCIÓN DEL PRODUCTO: nombre del producto que se ensambla.

5 Nº UNIDADES REQUERIDAS POR TURNO: cantidad de producción requerida por turno, dada por ventas.

6 CÁLCULO DEL VALOR "R" DE LA PLANTA: a) Sus productos han operado a una eficiencia de 85%. b) Los nuevos productos promedian una eficiencia del 70% durante el primer año. c) Suplementos del 11%. El Valor "R" se calcula dividiendo 300 ó 365 minutos entre el número de unidades de turno.

7 Nº: es el número de secuencia de la operación.

8 DESCRIPCIÓN OPERACIÓN: nombre de los componentes y las funciones de las tareas.

9 VALOR R: es el calculado en el recuadro 6.

10 TIEMPO DEL CICLO = tiempo de máquina + tiempo óptimo de operación máquina parada.

11 Nº DE ESTACIONES: R 9 / TIEMPO DEL CICLO 10 y se redondea al entero inferior, con lo cual no se logrará la meta. Sin tiempo extraordinario, lo que la convertirá en cuello de botella.

12 TIEMPO PROMEDIO DEL CICLO: TIEMPO DEL CICLO 10 / NÚMERO DE ESTACIONES DE TRABAJO 11.
Es la velocidad a la cual la estación de trabajo produce componentes, si el tiempo de ciclo de un trabajo es de 1 minuto y se requieren 4 máquinas. El tiempo promedio del ciclo será de 0,25 minutos. Es decir que un componente saldrá de cada una de las 4 máquinas, cada 0,25 minutos.

El mejor balanceo de línea sería que todas las estaciones tuvieran en promedio, el mismo tiempo de ciclo, lo que es difícil que ocurra.

Con el tiempo promedio del ciclo se determinará la carga de trabajo porcentual de cada estación.

13 % DE CARGA: indica la ocupación de cada estación, en comparación con la más ocupada, la cifra más elevada de la columna 12, corresponde a la estación más ocupada y por lo tanto se conoce como la estación del 100%. Ahora, para comparar todas las demás estaciones con ésta, se divide el tiempo promedio de ésta entre los promedios de aquellas y se multiplica el resultado por 100. Esto nos dará la carga porcentual de cada estación y representa esfuerzos de reducción de costo. Si la estación del 100% se puede reducir en 1%, ahorraremos esa cantidad en cada estación de trabajo de la línea.

14 BALANCEO DE LÍNEA EN HORAS POR UNIDAD: tiempo de ciclo promedio del 100% / 60 minutos / hora, que multiplicado por el N° de operadores de la línea de ensamble, se obtendrán las horas totales para la fabricación de una unidad. Pero todos los miembros de una línea de ensamble deben trabajar al mismo ritmo.

15 BALANCEO EN PZ POR HORA: 1 / X de las horas / unidad, o uno divido entre las horas por unidad.

16 HORAS TOTALES / UNIDAD: ∑ de todas las operaciones. Las horas por unidad de un operador por el Nº total de operadores en la línea, es también igual a las horas totales por unidad. El total de la columna 11, es el total de operadores.

EJERCICIOS POR RESOLVER

1. ¿Cuáles son los pasos necesarios en el procedimiento de un estudio de tiempos.

2. ¿Cuál es la clasificación y los valores de la calificación de la actividad de un operario?

3. ¿Cuál es la distancia que recorrerá un operario en condiciones normales durante 15 segundos?

4. Investigar el procedimiento conforme a la legislación Colombiana para lograr una patente.

5. Investigar el método TRIZ para la solución de problemas.

6. Investigar los métodos de incentivos salariales para elevar el ritmo de trabajo y lograr mayor productividad y menores costos de producción.

ANEXO A.
Formas utilizadas en métodos

Formato para mejora de métodos:

Identificación de la operación:	Fecha: No de operación: No del objeto: Observado por:
Nombre del objeto: Nombre del operario:	
	A: ¿se puede eliminar? B: ¿se puede cambiar? C: ¿se puede cambiar el orden de ejecución? D: ¿se puede simplificar?
Elementos de la operación	Sugerencias de mejora
1 2 3 4 5 6 7 8 9 10 11 12 13 14 15	

HOJA DE NORMALIZACIÓN

Operación:__________ Departamento:__________ Operario: __________ Supervisor:__________	Fecha:__________ Minutos/ pieza:__________ Tiempo estándar:__________
Esquema del sitio de trabajo:	Zona de aplicación: __________ __________ Descripción del equipo normalizado: __________ __________ Descripción de las condiciones de trabajo: __________ __________ Recorrido del material o suministro: __________ __________
Herramientas y plantillas disponibles: __________ __________ __________ __________	Máquina: velocidad __________ herramienta __________ refrigerante __________ fijación __________
Elementos de la tarea	Esquema del producto
1. __________ 2. __________ 3. __________ 4. __________ 5. __________ 6. __________ 7. __________ 8. __________ 9. __________ 10. __________ 11. __________ 12. __________ 13. __________ 14. __________ 15. __________	Auxiliares: __________ __________

DIAGRAMA DEL PROCESO DEL GRUPO

OPERACIÓN: ______________________ DÍA: ___MES ___AÑO___

______________________ ☐ ACTUAL

DEPARTAMENTO: ______________________ ☐ PROPUESTO

DIAGRAMADO POR: ______________________ HOJA: _____ DE: _____

	N°	N° DEL GRUPO PASOS DESCRIPCIÓN

OBSERVACIONES

RESUMEN			
	ACTUAL	PROPUESTO	REDUCCIÓN
TOTAL UNIDA			
PASOS POR UNIDADES			

HOJA RESUMEN

Taller ____________ Sección ____________ Hoja de Datos ______
N° ________ de ____________
Máquina ____________ N° ______ Levantado por ____________ Fecha ____________

Indicaciones técnicas ____
____
____
____
____

Inicia ____________________ Termina ____________________
Tiempo elegido ____________________ N° Unidades producidas ____________

Nombre del operario: ____________________
____
Nombre del producto: ____________________
____

Operaciones (descripción, condiciones, herramientas)

Bosquejo

N°	Descrip. de elementos	Tiemo eleg.	Califíc. elegida	Tpo. Nmal.	Coef. Recua.	TE	Frecu.	V. Pts Op.	Observa-ciones

ANEXO B.
Talleres de métodos, movimientos y tiempos

TALLER Nº 1. OBJETIVOS QUE SE PERSIGUEN CON LOS ESTUDIOS DE MÉTODOS, MOVIMIENTOS Y TIEMPOS.

Observar el trabajo del albañil en la construcción de vivienda y registrar la cantidad de ladrillos tolete o bloque por hora, los métodos, movimientos, puestos de trabajo, las herramientas, los materiales, los andamios, las bateas de mezcla, el ambiente, los costos y todas las actividades que realizan los albañiles. Utilice los esquemas, diagramas, dibujos, fotografías, videos y demás ayudas que le permita identificar las causas que afectan el rendimiento, la fatiga, los accidentes y las demoras en el trabajo del albañil.

Proponga soluciones y diseños innovadores en los métodos, movimientos, puestos de trabajo, herramientas, materiales, andamios, mezcla y ambiente que garanticen la seguridad, aumenten el rendimiento por hora y disminuyan la fatiga, los movimientos, los accidentes de trabajo y los desperdicios de toda índole.

¿Cuáles son las técnicas y teorías modernas que permiten lograr los cambios propuestos?

¿Cómo se pueden mejorar los niveles de vida de las personas involucradas en este tipo de actividad?

Realice los planos de cada uno de los elementos y herramientas utilizados, con todas sus especificaciones y sugiera las mejoras en cada caso.

¿Cuál y cómo debe ser la mezcla apropiada para sentar los ladrillos?

¿Cuáles son los costos y las economías logrados con el nuevo método?

TALLER Nº 2. APLICACIÓN DE LA ORGANIZACIÓN CIENTÍFICA DE TAYLOR

Suponga que su equipo ha sido seleccionado para mejorar una organización bancaria utilizando los cuatro grandes principios establecidos por Taylor. Para tal efecto se deben considerar los distintos oficios de un banco y a partir del estudio del cajero desarrollar:

1. El método adecuado de trabajo de cada una de las actividades que debe desempeñar el cajero.
2. El perfil del cargo para la selección científica del cajero, la instrucción sistemática y el estímulo progresivo que debe tener.
3. El sistema que permita asegurar que el trabajo se realice conforme a los estudios científicos desarrollados.
4. La responsabilidad del cajero y la de la dirección del banco.

¿Cuáles son las categorías de cargos existentes en las entidades bancarias conforme a su inteligencia y habilidad y cuáles las diferencias porcentuales de salarios, partiendo del salario mínimo, para cada categoría?

TALLER Nº 3. APLICACIÓN DE LOS PRINCIPIOS DE EMERSON

Conocido el hecho que demuestra que la eficiencia, como base de las operaciones y los salarios, se puede lograr:

- Creando métodos que permitan capacitar a las personas, al máximo de lo que ellas pueden hacer en relación con las tareas o con los fines establecidos.
- Diseñando formas para fijar de objetivos que requieran el mayor desempeño posible, ya que las personas trabajan con el máximo provecho cuando conocen las metas por cuya obtención deben esforzarse.

Se sabe además que la eficiencia es inalcanzable para los sobre cargados de trabajo, el mal pagado y los mediocres.

Seleccione una tarea en un supermercado y diseñe la forma como aplicar los doce principios de Emerson.

¿Cuál es la fórmula adecuada para medir la eficiencia del cargo?

TALLER Nº 4 LA VISIÓN EN LOS TIEMPOS MODERNOS

La gerencia de las empresas modernas debe hacer participar a la fuerza laboral en todas las fases de desarrollo e implementación de los productos.

Los factores económicos, tecnológicos, políticos, sociales (edad, sexo, salud, bienestar, fortaleza física, aptitud, actitud, capacitación, satisfacción en el trabajo y respuesta al cambio), tienen ingerencia directa en la productividad.

Las tendencias actuales de la ingeniería de métodos, movimientos y tiempos se caracterizan por:

- Los planes de mejoramiento de métodos y estándares como un insumo en el presupuesto, en la evaluación del desempeño, en el diseño del trabajo y en el entorno laboral.
- Un organismo dedicado a la investigación para desarrollar guías y estándares para el trabajo, la salud y la seguridad del trabajador.
- El impacto de la legislación en los empleadores.
- La aplicación de la ergonomía.

En una empresa de su elección investigue el impacto sobre la fuerza laboral de los factores internos y externos de la empresa.

TALLER Nº 5. CÓMO DESARROLLAR UN MÉTODO MEJOR DE TRABAJO

Desarrollar el mejor método para realizar quince cuadernillos de quince medias hojas tamaño carta y presentar un informe que contenga los siguientes aspectos:

1. Levantar un gráfico de la actividad tal y como acordaron realizar el ejercicio en el equipo, relacionando, en forma detallada, todas las partes o elementos utilizados en el proceso en estudio y las fases o etapas que constituyen el ejercicio.

2. Dividir la operación en elementos identificables y medibles.

3. Estudiar y analizar cada elemento de la operación para detectar los desperdicios o trabajo innecesario y aprovecharlos o eliminarlos.

4. Proponer todos los cambios que permitan ejecutar un mejor y más fácil método para realizar el ejercicio.

5. Hacer y responder todas las preguntas relacionadas con el ejercicio, tales como:

¿De qué forma hacer el ejercicio?

¿Qué materiales se utilizaron?

¿Qué herramientas y medios auxiliares se utilizaron?

¿Cuáles fueron las condiciones en que se realizó el ejercicio?

Use todas las preguntas: ¿Qué? ¿Por qué? ¿Quién? ¿Dónde? ¿Cuándo? ¿Cómo? ¿Para qué?

Así por ejemplo pregúntese:

¿Qué trabajo se ha hecho? ¿cuál es el objeto del ejercicio?

¿Por qué se efectuó así? ¿qué hubiera sucedido si no se hubiese realizado de esta forma? ¿son realmente necesarias todas las partes del trabajo?

¿Quiénes hicieron el trabajo? ¿quiénes pueden hacerlo mejor? ¿pueden realizarse ciertos cambios, para que alguien con menos destreza los ejecute?

¿Dónde se hizo el ejercicio? ¿puede efectuarse en cualquier otro lugar para que resultase más económico?

¿Cuándo se efectuó el ejercicio? ¿era mejor haberlo realizado en otro momento?

¿Cómo se efectuó el ejercicio?

Eliminar trabajos y movimientos innecesarios

Combinar operaciones o elementos.

Cambiar el orden.

Simplificar

TALLER Nº 6. FACTORES QUE INFLUYEN EN LA PRODUCTIVIDAD SEGÙN ELTON MAYO

Partiendo de la hipótesis establecida por Mayo en la que asegura "que un cambio en las condiciones de trabajo daría como resultado un cambio en la productividad" Seleccione una empresa de su gusto y estudie las condiciones de trabajo existentes. Posteriormente identifique cuáles son las condiciones ideales que tal empresa debiera tener para generar una alta productividad y qué se debe hacer para mejorar la actitud de los empleados.

¿Cuál es una fórmula apropiada para medir la productividad de tal empresa?

¿Cómo se puede medir la actitud de los empleados?

¿Cuáles son los tipos de organización informal existentes en tal organización?

¿Cuál es la influencia de la organización informal sobre la productividad?

TALLER Nº 7. CÓMO DESARROLLAR UN MÉTODO MEJOR DE TRABAJO

Desarrollar el mejor método para repartir un juego de 52 cartas en cuatro montones iguales en 0.45 minutos y presentar un informe que contenga los siguientes aspectos:

1. Los cinco pasos para la simplificación del juego:

   Selección del método a mejorar.

   Descomponer el juego en partes identificables y medibles.

   Analizar cada actividad.

   Desarrollar el mejor método.

   Aplicar el nuevo método.

2. Estudiar y analizar cada actividad para detectar los movimientos o trabajo innecesario y aprovecharlos o eliminarlos.

3. Proponer todos los cambios que permitan ejecutar un mejor y más fácil método para realizar el ejercicio.

4. Hacer y responder todas las preguntas relacionadas con el ejercicio, tales como:

   ¿De qué forma hacer el ejercicio?

   ¿Qué materiales se utilizaron?

   ¿Qué herramientas y medios auxiliares se utilizaron?

   ¿Cuáles fueron las condiciones en que se realizó el ejercicio?

   Use todas las preguntas: ¿qué? ¿por qué? ¿quién? ¿dónde? ¿cuándo? ¿cómo?

   Así por ejemplo pregúntese:

   ¿Qué trabajo se ha hecho? ¿cuál es el objeto del ejercicio?

   ¿Por qué se efectuó así? ¿qué hubiera sucedido si no se hubiese realizado de esta forma? ¿son realmente necesarias todas las partes del trabajo?

   ¿Quiénes hicieron el trabajo? ¿quiénes pueden hacerlo mejor? ¿pueden realizarse ciertos cambios, para que alguien con menos destreza lo ejecute?

¿Dónde se hizo el ejercicio? ¿puede efectuarse en cualquier otro lugar para que resultase más económico?

¿Cuándo se efectuó el ejercicio? ¿era mejor haberlo realizado en otro momento?

¿Cómo se efectuó el ejercicio?

- Eliminar trabajos y movimientos innecesarios.
- Combinar operaciones o elementos.
- Cambiar el orden.
- Simplificar.

TALLER Nº 8. CÓMO MEJORAR UN MÉTODO DE TRABAJO

Una Empresa utiliza pernos de ½ x 1 pulgada con dos arandelas, una guasa y tuerca, en el montaje final de uno de sus productos.

El método usado, es el de colocar encima de un banco. en depósitos los pernos, arandelas, guasas y tuercas. Se toma el perno con la mano izquierda y con la mano derecha una arandela que es colocada en el perno; luego se toma la guasa con la mano derecha y se coloca en el perno; después se toma con la mano derecha la otra arandela y se coloca en el perno; por último se toma con la mano derecha la tuerca que es roscada en el perno y con la mano izquierda se coloca el ensamble en un recipiente.

Analice el proceso y revise que se cumplan los principios de economía de movimientos.

1. Establezca el método que, a su juicio, produzca los mejores resultados y descríbalo completamente.

2. En una hoja de análisis de movimientos describa el diagrama mano izquierda mano derecha del método actual y el mejorado.

3. Diseñe los elementos necesarios para realizar el ensamble, de suerte que se cumplan los principios de economía de movimientos de las manos.

4. Describa todos los desperdicios que se generan en el método actual.

TALLER Nº 9. APRENDER LOS MOVIMIENTOS DE LAS MANOS

Considerar la tarea de llenar de clavijas de madera, un tablero que posee treinta agujeros.

El método actual en el que de cada 100 personas, 95 llenarían el tablero tomando con la mano izquierda un puñado de clavijas de la caja y las sostiene, mientras la mano derecha coge una por una las clavijas de la mano izquierda y las va colocando en el tablero. La mano derecha trabaja con rendimiento, mientras la mano izquierda hace muy poco trabajo productivo, pues sólo sostiene las clavijas.

Establezca un método para realizar la tarea en forma más eficiente.

¿Cuál es la economía, en tiempo, lograda con el nuevo método?

Realice un cuadro donde describa el nombre de los distintos movimientos y el símbolo correspondiente.

Realice el diagrama de operación de mano izquierda mano derecha.

¿Qué principios de economía de movimientos se utilizan en el método mejorado?

Recuerde, las personas que más trabajo realizan no son las que más trabajan, sino las que utilizan en forma adecuada cada movimiento, las que usan buenos métodos de trabajo. El interés no es la velocidad, sino el obtener más trabajo de calidad con un menor consumo de energía.

TALLER Nº 10. MÉTODOS PARA DESARMAR, ARMAR E INSTALAR UNA CERRADURA DE PUERTA

Suponga que su grupo está encargado de encontrar el mejor método para armar, desarmar e instalar una cerradura de una puerta. En el ejercicio deben desarrollar los siguientes puntos:

- Un manual para que cualquier persona pueda realizar las actividades señaladas.
- Establecer, en un diagrama, la estructura de la cerradura.
- Levantar el diagrama de proceso de ensamble de desarmar, armar e instalar la cerradura.
- Utilice todas las ayudas necesarias como fotografías, videos, bosquejos, etc., que le permitan expresar con la mayor claridad los objetivos del presente taller.
- ¿Cuánto puede cobrar el grupo por realizar el manual?

TALLER Nº 11. HACER UNA DISTRIBUCIÓN EN PLANTA

Madetal Ltda., es una empresa que fabrica artículos en madera y metal en lotes que varían ampliamente. Trabaja sobre las especificaciones del cliente. Muchos pedidos corresponden a un solo tipo de artículo, pero otros son piezas especiales de características particulares según las necesidades de los clientes.

Las operaciones y los equipos, utilizados a grandes rasgos, para un pedido son los siguientes:

1. Abrir bloques de madera, de 3 metros de longitud y diferente grueso y ancho, para sacar tablas de 2.5 cms de espesor, en una sierra sinfín grande.
2. Planear una cara y un canto de la madera cortada, en una planeadora.
3. Cepillar las tablas hasta dejarlas de espesor de 2.3 cms, en un cepillo.
4. Cortar al ancho de 15 cms en una sierra circular.
5. Cortar al largo necesario en una sierra circular.
6. Armar un producto con tornillos de carriage utilizando taladro para perforar, martillo y llaves para ajustar las piezas.

En productos de pedidos especiales, se utilizan bancos de trabajo tipo ebanistería y diferentes herramientas manuales como cepillos, garlopas, formones, escuadras, prensas, caimanes, etc.

En productos de tipo metálico se utilizan bancos de trabajo, equipos de soldadura eléctrica y autógena, dobladora de tubo, cizalla, taladro de árbol y manuales y herramientas manuales varias.

Suponga que su grupo ha sido seleccionado para realizar la distribución en planta y deben hacer una presentación convincente a la gerencia de la empresa que contemple, por lo menos, los siguientes puntos:

1. Plano de distribución de las distintas áreas aproximadas de trabajo.
2. Distribución y montaje de las máquinas señaladas anteriormente.

3. Cálculo aproximado de las áreas de trabajo, áreas de almacenamiento temporal de productos en proceso y permanente para las materias primas, productos terminados, herramientas manuales, etc.

4. Sistemas, métodos y procedimientos de manejo y almacenamiento de materiales, materias primas, productos terminados y herramientas.

5. Hacer el diagrama de flujo o recorrido del producto anteriormente citado.

   Utilice todos los medios gráficos, fotografías, bosquejos que considere necesarios para ganar la aceptación de su propuesta.

TALLER Nº 12. ENSAMBLE Y DESARME DE JUGUETES

Suponga que su grupo es contratado por una fábrica de juguetes para realizar un manual para ensamblar y desarmar juguetes, de suerte que se tenga la seguridad de su funcionamiento y de que todas las partes estén completas; por tanto es necesario identificar cada una de las partes que compone el juguete.

Establecer un sistema de montaje y desarme adecuado.

Diseñar gráficamente el método de ensamble y desarme del juguete en serie.

Realizar el diagrama de proceso de ensamble y mano izquierda y mano derecha.

El manual debe ser suficientemente claro y preciso para que cualquier persona pueda armar y desarmar el juguete en forma ágil y ordenada. Utilice todos los elementos, medios y equipos que sean necesarios para asegurar una claridad total.

TALLER Nº 13. ESTUDIO DE MÉTODOS Y TIEMPOS

Supongan que conforman un grupo consultor seleccionado para realizar un estudio de métodos y tiempos para armar y desarmar uno de los juegos que existen en el laboratorio. Cada grupo debe determinar:

1. El número de observaciones necesarias para desarmar y armar el juego, calculados mediante los métodos estudiados en clase.
2. El tiempo y la calificación elegidos, calculados mediante los métodos estudiados en clase.
3. El tiempo normal de armar y desarmar el juego.
4. El tiempo estándar, considerando los suplementos calculados por el grupo según las condiciones que observen en el lugar donde realicen las operaciones.
5. Las unidades armadas y desarmadas por hora de trabajo.
6. El número de juegos que se pueden armar y desarmar por jornada de trabajo, considerando que se conceden 15 minutos de descanso en la mañana y 15 minutos en las horas de la tarde por jornada de 8 horas.
7. El pago por pieza, considerando que cada operario devenga un salario mínimo mensual con prestaciones.
8. La eficiencia con el tiempo normal calculado por el grupo y el tiempo transcurrido es 15% menos ó 10% más que el tiempo concedido.
9. El tiempo normal cuando el coeficiente de recuperación es de 1.25 y cuando los suplementos representan el 22%.

TALLER Nº 14. DISEÑO DE PUESTOS DE TRABAJO

Suponga que su grupo ha sido seleccionado para participar en la mejora de los puestos de trabajo de una institución. En dicho trabajo, se utiliza, el grupo de estudiantes de ingeniería de métodos, a los cuales se les debe tomar sus medidas antropométricas y utilizar los promedios. Como herramienta principal, se requieren computadores. Para diseñar los puestos correspondientes, se deben tener en cuenta las dimensiones de áreas máximas y normales de trabajo mostradas en planos horizontales y verticales vistos en clase. Igualmente se deben utilizar las alturas de las mesas y sillas empleadas en el trabajo.

1. Diseñe el puesto de trabajo apropiado. Considere que se requiere un puesto para cada dos estudiantes y que se debe aprovechar el espacio, dado que la localización de la institución está en zonas especiales de alto costo.

2. Diseñe la mesa apropiada para utilizar el computador, dando todas las especificaciones de los materiales utilizados.

3. Diseñe la silla correspondiente para dicho trabajo y especifique los materiales empleados.

TALLER Nº 15. VALORACIÓN Y APLICACIÓN DE TIEMPOS PREDETERMINADOS

1. Determinar la velocidad para caminar de los estudiantes del curso, hombres y mujeres. Medir sobre un área horizontal y uniforme una longitud de 30 metros y luego, a partir de un punto desde donde se puede ver dicha distancia, cronometrar el tiempo que tarda cada estudiante en recorrerla, utilizando para ello un cronómetro. Obtener los datos con la marcha independiente de cada estudiante. Hágase con estos datos una tabla de clasificación de la siguiente manera:
   - Hombres y mujeres.
   - Grupos de tres edades.
   - Cada uno de estos grupos subdividirlos en cuanto a la estatura, en bajos, medianos y altos.

2. Hacer el estudio de valoración del caminar en el que se establezca:
   - Tiempo en minutos para caminar 15 metros, de c/u de los estudiantes del curso.
   - Velocidad real en metro por segundo.
   - Valoración en % sabiendo que 1.25 metros por segundo es igual a 100.

3. Determinar el tiempo normal para ensamblar pernos de ½ x 1 pulgada con dos arandelas, una guasa y tuerca, utilizando tiempos predeterminados para los distintos movimientos.

TALLER N° 16. ESTUDIO DE TIEMPOS

Realizar un estudio de tiempos con cronómetro con lectura de vuelta a cero, para armar y grapar cuadernillos de 15 hojas teniendo en cuenta las actividades que se deben desarrollar en cada uno de los pasos necesarios:

- Preparar y normalizar el trabajo.
- Determinar la precisión.
- Dividir la operación en elementos uniformes, identificables y medibles.
- Determinar el número de observaciones a realizar con 95% de confianza y precisión de más 0.05 del elemento verdadero de tiempo, como límite.
- Calificar la actividad desarrollada en los cuadernillos.
- Determinar el equipo necesario en el estudio.
- Recolectar la información en un formato diseñado para el efecto.
- Calcular la calificación y el tiempo representativo por el método gráfico.
- Calcular el tiempo normal.
- Aplicar los suplementos según las condiciones en que se realiza el ejercicio.
- Calcular el tiempo estándar.

TALLER N° 17. MUESTREO DE TRABAJO

Para aplicar correctamente la metodología de muestreo de trabajo se deben desarrollar las siguientes fases:

1. Determinar los objetivos del estudio.

2. Especificar y describir detalladamente cada uno de los elementos que van a ser analizados.

3. Fijar el nivel de confianza y el error máximo admisible con los que se va a trabajar.

4. Efectuar una estimación del porcentaje de los elementos que se van a medir mediante un muestreo orientativo.

5. Calcular el número de observaciones que deben efectuarse.

6. Elaborar el plan de trabajo para efectuar el estudio:
   - Número de observaciones.
   - Horarios.
   - Rutas para efectuar el muestreo.
   - Confección de las formas necesarias para anotar los datos.

7. Realización de las observaciones según el plan de trabajo.

8. Efectuar un seguimiento de las observaciones diarias hasta que alcanzar el resultado previsto en cuanto al error máximo admitido.

9. Calcular el tiempo tipo:
   - Calificar la actuación del operario durante la observación.
   - Registrar la producción obtenida durante el período de trabajo correspondiente al estudio.
   - Calcular el tiempo básico mediante la siguiente expresión:

$$Tb = \frac{Tt \times p \times Co}{N}$$

Donde:

Tb: Tiempo tipo.

P: % de tiempo del elemento analizado.

Co: Calificación de la operación.

Tt: Tiempo total del estudio.

N: Número de unidades producidas.

10. Calcular el tiempo estándar teniendo en cuenta los suplementos que correspondan.

Evaluar el grado de utilización de un computador en una oficina de gestión administrativa de una universidad, siguiendo ordenadamente los pasos requeridos en el estudio por muestreo de trabajo.

TALLER Nº 18. CÁLCULOS DE CAPACIDAD

1. Calcule las piezas por hora, las horas por unidad y las horas por 1.000 unidades para la siguiente operación:

TS EN MINUTOS	PZ POR HORA	HORA POR PZ	HORA POR 1.000
0.300			
2.000			
0.450			
0.050			

2. Practique el ritmo normal:
   - Caminar a razón de 1.25 metros / segundo, 80metros.
   - Distribuir 52 cartas en 4 pilas en 0.5 minutos.
   - Llenar un tablero de 30 agujeros con clavijas en 0.435 minutos.
   - ¿Cuál es el estándar para c/u, en condiciones normales?

3. Una empresa desea fabricar 2.000 unidades de un producto por cada turno de 8 horas. Se requieren 0.400 minutos / unidad. Por turno hay 50 minutos perdidos por paradas, limpieza, etc., si históricamente se conoce que el rendimiento de la empresa es de 75%:
   - ¿Cuál será el ritmo de producción de la planta (takt)?
   - ¿Cuántas máquinas necesitamos para esta operación?
   - ¿Cuántas personas se deben contratar para fabricar 2.500 piezas si se sabe que se gastan 138.94 horas al 100% para producir 1.000 unidades?
   - ¿Cuántas máquinas deberá adquirir y cuántas personas contratar si se necesitan 3.000 unidades por turno en una planta al 75% de eficiencia, que tiene el 10% de tiempos perdidos? El estándar de tiempo de máquina es de 0.284 minutos.
   - ¿Cuánto costará producir una unidad si el operador gana $15 por hora?
   - ¿Cuántas unidades se pueden producir por turno?
   - ¿Cuál es el ritmo de producción de la planta (takt)?

TALLER Nº 19. ENSAMBLE DE JUGUETES

Hacer el diagrama de operaciones de ensamble del juguete, y establecer la línea de ensamble, de suerte que logre un balance adecuado de la misma. Tomar el tiempo de cada operación, haciendo el cálculo del número de operaciones necesarias con sus respectivas calificaciones.

Suponga que la necesidad de ensamble diaria es de 5.000 juguetes por turno de 8 horas. Establezca una tabla donde indique los minutos por juguete, los juguetes por hora, las horas por juguete y la frecuencia de los diferentes elementos.

Se reconoce que por turno hay una hora de tolerancia, y el rendimiento histórico es del 85%. Calcule:

- El tiempo estándar total por juguete.
- El número de personas que se deben contratar para lograr el ensamble deseado por turno.
- El ritmo de producción de la planta.
- El ciclo por juguete.
- La saturación.
-

GLOSARIO

Aleatorio: observaciones o datos tomados al azar.

Algoritmo: especificaciones por pasos de la solución de un problema.

Análisis costo-beneficio: evaluación de costos con respecto a los ingresos previstos de un proyecto.

Análisis de redes: técnica de planeación usada para analizar la secuencia de actividades y sus interrelaciones de un proyecto.

Antropometría: ciencia que trata los aspectos dimensionales del cuerpo del hombre en relación con su trabajo.

ASME: Asociación Americana de Ingenieros Mecánicos.

Automatización: convertir movimientos corporales y operaciones intelectuales en movimientos automáticos.

Balance social: responsabilidad con el personal.

Balanceo de línea: determinación del número ideal de trabajadores asignados a una línea de producción.

Base de datos: colección de datos que se pueden usar en variedad de aplicaciones.

Biomecánica: aplicación de principios de mecánica como fuerza, palancas, movimiento.

CAD: diseño asistido por computador.

Calidad: cero defectos.

Calificación del desempeño: porcentaje promedio de tiempo asignado a un operario con respecto a la concepción normal del observador.

Cambio: factor constante.

Ciclo: tiempo en minutos con suplementos incluidos para efectuar una operación a calificación óptima.

Ciclógrafo: equipo para registrar el tiempo y el método a la vez.

Cinematógrafo: equipo usado en el registro de métodos.

Competencias: desempeño, habilidad conceptual, técnica y humana.

Competitividad: capacidad de superar competidores.

Creatividad: f ¿conocimiento, imaginación y evaluación?

Crecimiento: aumento de volumen, cubrimiento geográfico, utilidades, rentabilidad, empleados, mercado.

Cronociclografía: registro fotográfico del movimiento del cuerpo, usado para determinar la velocidad y la dirección del movimiento.

Decibel (db): unidad de intensidad de sonido.

Demora: cualquier interrupción de la rutina de trabajo que no ocurre en el ciclo de trabajo típico.

Diagrama causa efecto: método para identificar las causas de un problema y resolverlo con asertividad.

Diagrama de flujo: Representación gráfica de la distribución de un proceso, que muestra la localización de todas las actividades que aparecen en el diagrama de flujo del proceso y las trayectorias de viaje del trabajo.

Diagrama de proceso de grupo: diagrama de las actividades simultáneas de una máquina o más y un operario o más.

Diagrama de viajes: muestra las distancias recorridas entre los puntos de trabajo en un proceso de manufactura.

Diagrama del proceso: representación gráfica de todas las operaciones de un proceso de manufactura.

Diagrama hombre-máquina: muestra el tiempo del ciclo de trabajo del operario en relación con el tiempo de ciclo de operación de la máquina o máquinas.

Eficacia: cumplir objetivos fijados.

Eficiencia: cumplir objetivos optimizando recursos. Razón de la producción real a la producción estándar.

Empresa flexible: adaptable a la situación.

Enriquecimiento del trabajo: diversificación del trabajo para generar mayor satisfacción y oportunidad evitando la monotonía.

Ensamblar: acto de unir dos o más partes que van juntas.

Ergonomía: ciencia que estudia el diseño del lugar de trabajo, las herramientas, el equipo y el entorno adecuado al ser humano.

Esfuerzo: voluntad para realizar trabajo productivo manual o mental.

Estación de trabajo: área donde se realiza el trabajo de una operación específica.

Estándar: tiempo normal más suplementos en la realización de un trabajo.

Estudio de métodos: análisis de una operación para incrementar la producción por unidad de tiempo y reducir el costo por unidad.

Estudio de micromovimientos: división de la asignación de trabajo en therbligs, a través del análisis cuadro por cuadro de una película y la mejora de la operación eliminando los movimientos innecesarios y simplificando los que quedan.

Estudio de movimientos: analizar y estudiar los movimientos de la operación para eliminar los innecesarios.

Estudio de tiempos: procedimiento usado para establecer estándares.

Excelencia: una forma de vida para la calidad total.

Fatiga: disminución de la capacidad de trabajo.

Globalización: fenómeno mundial que derrumba fronteras, supera idiomas y costumbres, crea un mundo nuevo y diferente.

Gráfica Gantt: gráfica de doble entrada para programar trabajo en las filas y tiempo en las columnas y controlar el avance.

Gráfica SIMO: diagrama de proceso bimanual con escala de tiempos como parte de un estudio de micromovimientos.

Habilidad: facilidad para seguir un método prescrito.

Holgura: amplitud o flexibilidad para empezar o terminar una actividad que se vuelve crítica.

Incentivo: estímulo que mueve a hacer cosas.

Ingeniería: arte de planificar el aprovechamiento de la tierra, el aire, el agua, la tecnología, los recursos humanos y financieros, etc.

Ingeniería del valor: método para evaluar alternativas a partir de sus valores y pesos en la matriz de pagos.

Jornada de trabajo: cualquier trabajo por el cual se compensa al trabajador con base en el tiempo y no en la producción.

Justo a tiempo (JIT): entrega oportuna para disminuir inventarios y un flujo de producción directo disminuyendo tiempos de preparación.

Kaizen: sistema de actividades de mejora continúa.

Kanban: tarjeta como etiqueta con información del producto que lo sigue durante todo su ciclo de producción para mantener el JIT.

Keiretsu: relación bilateral entre un fabricante japonés y sus proveedores.

Logística: parte de la ciencia empresarial que calcula, prepara, abastece, mantiene y transporta materiales o productos.

Mecanización: uso de máquinas para aumentar la productividad del trabajo humano.

Métodos: técnicas y teorías modernas para lograr cambios. Sirven para diferenciar la habilidad, ingenio y bienestar de los ejecutantes.

MTM: método de medición del tiempo determinando los movimientos básicos requeridos para realizar la operación y asignar el tiempo estándar predeterminado a cada movimiento.

Muda: palabra japonesa que significa desperdicio.

Muestra: observación de un operador por una vez.

Muestreo: estudio estadístico de las características de una población representativa para establecer estándares y mejorar los métodos.

Nivel de exactitud y confianza: tolerancia permitida del tiempo de trabajo.

Normalizar: especificar, unificar y simplificar.

Observación: recolección y registro del tiempo requerido para ejecutar un elemento.

Observador: analista que toma el estudio de tiempos.

Operación: actividad o trabajo que implica cambio de forma, tamaño y características deseadas.

Paradigmas empresariales: ejemplos que sirven de norma o directriz.

Pensamiento ágil: es un concepto según el cual todo el personal de producción colabora para eliminar desperdicios.

Plantilla: modelo usado para marcar, sostener y guiar la herramienta de un trabajo.

Proceso: serie de operaciones para lograr un producto terminado.

Productividad: valor de resultados obtenidos por cada unidad de esfuerzo humano o de capital.

Rendimiento: acción deseada.

Ritmo de trabajo: rapidez en la realización de una tarea.

Sostenibilidad: conservación de la flora, la fauna, la biodiversidad y el ambiente.

Suplemento: tiempo que se agrega al tiempo normal para permitir descanso y demoras personales inevitables y por fatiga.

Tasa: estándar expresado en pesos y centavos.

Therbligs: micromovimientos.

Valor punto = Punto Bedaux = Tiempo estándar.

BIBLIOGRAFÍA

NIEBEL, Benjamín W. FREIVALDS, Andris. *Ingeniería Industrial*. Métdos, Estándares y Diseño del Trabajo. Ed. Alfaomega, México 2004.

BARNES, Ralph M. *Estudio de Movimientos y Tiempos*. Ed. Aguilar Madrid 1964.

BARNES, Ralph M. *Manual de Métodos y Tiempos*. Ed. Aguilar Madrid 1961.

LERMONTOFF, Alexander. *La Mesure du Travail par Chronometrage,* Entreprise Moderne D'Èdition, París 1966.

KRICK Edgard, V. *Ingeniería de Métodos*. Ed. Limusa, Méxic 1996.

KANAWATY, George, *Introducción al Estudio del Trabajo,* Organización Internacional del Trabajo. Ed. Limusa, México, 1999.

GARCÍA CRIOLLO, Roberto. *Estudio del Trabajo, Ingeniería de Métodos y Medición del Trabajo*. Ed. Mc Graw Hill. México, 2005.

ARENAS REINA, José Manuel. *Control de Tiempos y Productividad*. La Ventaja Competitiva. Ed. Thomson Madrid 2000.

MEYERS, Fred E. *Estudios de Tiempos y Movimientos. para la Manufactura Ágil*. Ed. Pearson México, 2000.

TAYLOR, Frederick. W. FAYOL, Henri. *Principios de Administración Científica y Administración Industrial y General*. Ed. Herrero Hermanos, México. SAINT-MAURICE H. Remuneración Equitativa del Trabajo. Ed. Sagitario, Barcelona 1963.

HERRERA SALAMANCA Libardo. GONZÁLEZ MEJÍA, Gustavo. *Técnicas de Productividad*. Estudio del Trabajo. Ed. Centro Nacional de Productividad. Colombia 1972.

LERMONTOFF, Alexander. La mesure du travail par chronometrage. París Entreprise moderne D'Èdition. 1966. 162 p.
MAYNARD, H. B. Manual de ingeniería y organización industrial. España. Reverté. 1985. 1900 p.
McCORMICK, Ernest J. Ergonomía. Factores humanos en ingeniería y diseño. Barcelona. McGraw Hill. 1980. 461 p.
MEYERS, Fred E. Estudios de Tiempos y movimientos para la manufactura ágil. México. D. F. Pearson. 2000. 334 p.
NIEBEL, Benjamín W. y FREIVALDS Andris. Ingeniería industrial. Métodos, estándares y diseño del trabajo. México. D. F. Alfaomega, 2004. 745p.
OIT. Oficina Internacional del trabajo.
OUCHI, William. Teoría Z. Cómo pueden las empresas hacer frente al desafío japonés. Norma. Fondo educativo interamericano. Colombia. 1982. 296 p.
PROYECTO OIT. Ministerio del Trabajo y Seguridad Social. Medición y estrategias para el mejoramiento de la productividad en la empresa. Bogotá. Colombia. Guadalupe. 1999. 80 p.
SAINT-MAURICE H. Remuneración equitativa del trabajo. Barcelona. Sagitario. 1963. 215 p.
SMITH Elizabeth. Manual de productividad. Macchi. Buenos Aires. 1993. 311 p.
TAYLOR Frederick W. FAYOL Henri. Principios de Administración Científica y Administración Industrial y General. México. D. F. Herrero Hermanos. 1911. 272 p.